SUPERサイエンス

人類が生み出した「単位」という不思議な世界

名古屋工業大学名誉教授
齋藤勝裕 Saito Katsuhiro

C&R研究所

■本書について

- 本書は、2023年3月時点の情報をもとに執筆しています。

●本書の内容に関するお問い合わせについて

この度はC&R研究所の書籍をお買いあげいただきましてありがとうございます。本書の内容に関するお問い合わせは、「書名」「該当するページ番号」「返信先」を必ず明記の上、C&R研究所のホームページ(https://www.c-r.com/)の右上の「お問い合わせ」をクリックし、専用フォームからお送りいただくか、FAXまたは郵送で次の宛先までお送りください。お電話でのお問い合わせや本書の内容とは直接的に関係のない事柄に関するご質問にはお答えできませんので、あらかじめご了承ください。

〒950-3122　新潟市北区西名目所4083-6
株式会社C&R研究所　編集部
FAX 025-258-2801
『SUPERサイエンス 人類が生み出した
「単位」という不思議な世界』サポート係

はじめに

科学には「定性科学」と「定量科学」があります。定性科学というのは、物質の変化、現象を感覚的に観察評価する学問で、全ての学問はそこから始まります。それにたいして定量科学は、変化、現象を、定規、秤という測定器具を用いて、長さ、体積、重さの変化を観察します。科学が厳密で正確な物になることができたのは、近世になって定量化の嵐が科学に吹き荒れたからであり、そのおかげで原子の存在が明らかになり、やがて原子構造が明らかになり、量子化学へと進展しました。

科学が定量的になるずっと前から、私たちは定量的な世界に住んでいました。私たちは物の個数を数え、長さ、面積、体積を測り、重さを測っていました。数えられるものは1個、2個と数えましたが、その数え方はいろいろあり、人間なら1人、2人、あるいは1名、2名、動物なら、1匹、2匹、1頭、2頭、鳥なら1羽、2羽、とそれこそ千差万別です。しかし、長さや重さには個数は適用できません。そのような場合に考えだされたのが「単位」です。適当物の長さ、重さを単位とし、それの何倍ということで任意の長さ、重さを表現したのです。ところがこの単位がまた、国、地方、時代によっていろいろあり、ということで、その間の比率を明確にしようと思うと、頭の痛い思いをすることになります。

本書はこのような単位を、人数やお金の単位のような日常的なものから、明るさ、あるいは音の大きさなどの科学的な単位まで、いろいろご紹介したものです。お楽しみ頂けたらうれしいことと思います。

2023年3月

齋藤勝裕

CONTENTS

CONTENTS

Chapter 3 基礎的な単位

Chapter 4 気象の単位

Chapter 5 物理の単位

CONTENTS

CONTENTS

Chapter 7
日本の伝統的単位

Chapter 8
欧米の伝統的単位

Chapter. 1
単位とは

物体の量

物体とは有限の質量（重量）と体積を持った物です。質量も体積も持たない「もの」もありますがそれは物体ではなく、波動ということになります。

しかし波動には波長λ（ラムダ）と振動数ν（ニュー）があり、振動数νの波動は「$E=h\nu$」のエネルギーEを持ちます。そしてエネルギーEはアインシュタインの式「$E=mc^2$」によって質量mに変換されますから、質量も体積も持たない「もの」は精神か幽霊だけなのかもしれません。

「単位」とは物体の量を表す時に使う基準で

あり、物体の量はこの基準の何倍かということで数値化されます。

☑離散量（分散量）と連続量

量には、いろいろの種類があります。まず、「離散量（分散量）」と「連続量」です。

① 離散量

離散量というのは鉛筆や消しゴムのように、1本、2本、あるいは1個、2個と数えることができる量です。このような量を離散量と言います。人間も1人、2人とも数えますが、一番わかりやすい数え方ができるのが離散量です。

② 連続量

しかし、水の量を数えるのは、このようにはいきません。渚に打ち寄せる海水の量、あるいは水道の蛇口から流れ出る水の量に塊はありません。どのように多い量でも、どのように少ない量でも汲み取ることはできます。それは水の量に区切りが無く、連続しているからです。このような量を連続量と言います。

コップの水ならコップ1杯、2杯と数えることはできますが、その場合にはコップの容量を決めておかないと、量を決めたことにはなりません。温度や体積、音量、エネルギーなど、連続量はたくさんあります。

しかしエネルギーは、原子、分子など極小な物質の挙動を表す世界では連続量でなく、離散量となりますが、それに関してはより専門的な量子論の本をお読みください。

外延量と内包量

もう一つの分類は「外延量」と「内包量」です。

① 外延量

1人、2人等の離散量、あるいは長さ、広さ、体積、重さ等の量は互いに足し算、引き算をすることができます。1人と2人を足せば3人です。100kgの人がダイエットして30kg痩せれば70kgとなります。1時間の駐車時間を2時間越えれば全部で3時間分の駐車料金を取られます。

このように、大きさや広がりを表し、互いに足し算や引き算ができる量を外延量といいます。

② 内包量

それに対して足し算のできない量があります。例えば濃度20％の食塩水100mLに濃度20％の食塩水100mLを加えてみましょう。しかし濃度は30％とはなりません。両者の平均の15％になるだけです。

このように速度や密度など「質」や「強度」を表す量は内包量と呼ばれます。内包量は多くの場合、2つの外延量の割り算で求められます。

- 速度＝距離／時間
- 濃度＝質量／体積

SECTION 02

単位とは

物体に関した数量的な表現、あるいは物体に関した計算を行うためには、物体の量を数式化する必要があります。

単位とは

その場合、離散量ならばそのまま1個、2個、あるいは1人、2人と表現すればよいので、問題はありません。しかし、そのように表現することのできない連続量を数式化するには工夫が必用です。

そのために考え出されたのが「単位」です。単位とは連続量を数値で表すため、比較の基準として用いる「大きさが決められた量」のことを言います。単位さえ決まってしまえば、量は単位の何倍であるかによって示すことができます。つまり、連続量も単位を基準にして離散量と同じように数値化することができるのです。このようにして連続量を離散量とする操作を計量と言います。

単位の基準

何を単位とするかは任意ですが、大切なのは多くの人が共通の認識を持つことができるということです。少数の人、あるいはグループだけが知っている物を単位としたのでは、一般的に用いることはできません。

① 人間を基準

普通の成人の大きさには極端な違いがありません。そこで成人の身体の一部を単位として用いることが行われました。

例えば、長さの基準として用いられるのは成人の手や足です。現代人でも長さを計るときには手を広げて親指の先と薬指の先の間の長さを単位にすることがあります。

昔の人も同じようにして自分の体の一部を基準にしたことでしょう。欧米で今でも使われているフィートは足の長さを基準にしたものです。また、日本の伝統的長さの単位である尺は腕の尺骨の長さを基準にしたと言います。その他にもいろいろの部所を使っていろいろの単位が工夫されており、その中のいくつかの物は現代生活にも生き続けています。

釣りをやる人はご存知でしょうが、船で竿を用いないで手繰り釣りを行う場合には、釣り糸を両手で持って腕をひろげ、その長さを尋（ひろ）という単位として用います。

②自然物を基準

誰もが知っている自然物を基準にと

●人間の身体を基準にした単位

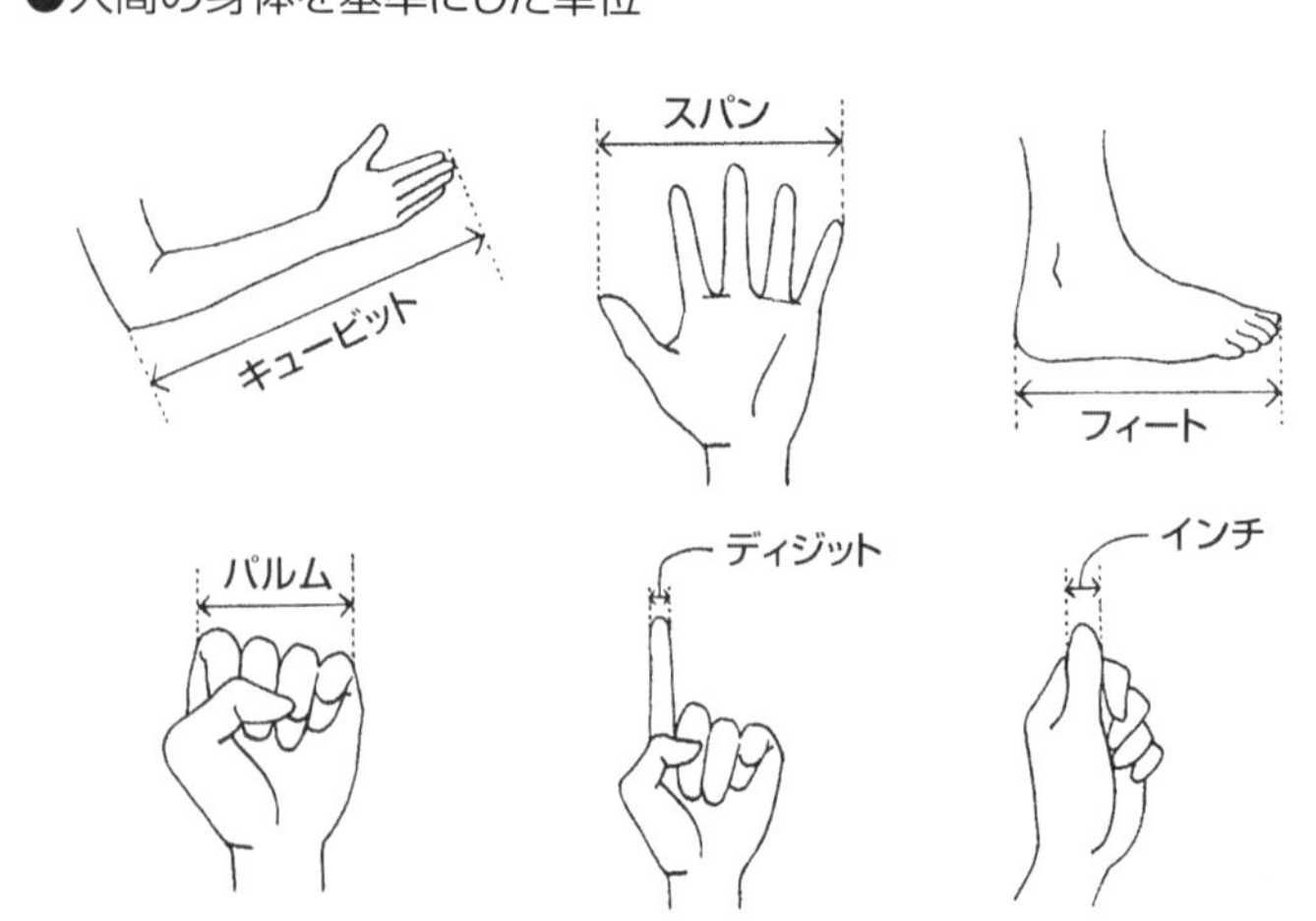

ることもあります。この場合、その自然物は常に変わらない重さ、あるいは大きさを保っていることが必要です。そのような候補になりえるのは豆です。十分に熟して乾燥した豆は、種類が同じなら、1個の重さはほぼ一定しています。

これを実際に利用したのが古代エジプトと言われます。彼らはカラット豆という豆を分銅として宝石の重さを計ったと言います。宝石の重さをカラットCtと言うのはその名残です。

③ 太陽を基準

古代ギリシアでは太陽の直径を基準として長さの単位を決めたと言います。ということ、当時、太陽直径をどうやって計ったんだという、とんでもなくミステリアスな問題に発展しそうですが、そうではありません。

直線上を歩いて、その歩いた距離を1単位とするのです。問題は歩く時間です。これを太陽の直径で決めるのです。朝、広場に出て地平線に太陽が顔を出すのを待ちます。太陽が顔を出すと同時に歩き始め、太陽がすっかり顔を出し終わったら止まるのです。

この間の時間は約2分だそうです。古代ギリシアではこの2分間に歩いた距離を1スタディオンと言い、約180ｍだそうです。ということは古代ギリシア人の歩行速度は180×30＝5400（ｍ）で時速5・4㎞になるので、現代人（時速4㎞）よりかなり速かったことになりそうです。

古代オリンピックの短距離走の距離は1スタディオンであり、この競技もスタディオンと言い、その競技を行う場所をスタディアムと言ったのが、現代に伝わっているのだと言います。

④ 人工物を基準

人工的に作った物を時間の基準に使うことも行われました。日本で有名なのは線香の燃焼時間です。線香は太さも長さも一定に作ってあるので、1本の線香が燃え尽きるまでの時間はほぼ一定です。昔から芸者さんの出演料を線香代というのはそのためです。すなわち、線香1本が燃え尽きるまでの出演料をいくら、という具合に決めたのです。それからいうとお葬式のお坊さんの出演料（失礼、お布施）はお経の長さを単位として決められてるのかもしれません。

基本単位と組立単位

長さや時間の単位を決めるのは簡単です。しかし、文明が進歩して来るにつれて、量、とくに連続量はどんどん複雑になってきます。

誘導単位

オリンピックでわかる通り、同じ1スタディオンを走るにもトップとラストでは時間が違います。違いを比べるのにはゴールまでに掛かった時間を比べれば良いのですが、やがて速さ(速度)という考えが出てきます。速さは、一定時間内に進んだ距離ですから、単位としては「速度 ＝ 距離 ／ 時間」となります。つまり、速度の単位は距離(m：メートル)という単位と時間(s：秒)という単位が組み合わさってできているのです。これを使うと速度の単位は「m/s」ということになります。この場合、時間や距離を基本単位、それを組み合わせて作った速度の単位を誘導単位、あるいは組立単位と言います。複雑な連続量にはいくつもの基本単位が入って来ます。

単位の固有名詞

たとえば「力の単位」には重さの基本単位（㎏：キログラム）が入って「㎏・m/s²」となります。これは重さ（㎏）と距離（m）の積を時間（s）の二乗で割った値、という意味の単位です。しかしこれでは書くのも大変ですし、まして読むのはもっと大変です。だいいち、物理嫌いの普通の方には何と読んだらよいのかわからないのでないでしょうか？　そこで、「㎏・m/s²」という単位をひとまとめにして固有名詞、ニュートンNと呼ぶことにします。すると1・78「㎏・m/s²」などという書くのも読むのも大変な記号が1・78N、1・78ニュートンとスッキリすることになります。

電気関係のワットW、ボルトV、電波で使われるヘルツHz、天気予報で使われるパスカル、地震で使われるマグニチュードなど、私たちは何気なく、複雑な単位を親しみやすい固有名詞で呼んでいるのです。

※速度の単位は「メートル毎秒（m/s）」、力の単位は「キログラム・メートル毎秒毎秒（kg・m/s²）」と読みます。

単位系

基本単位を決め、それを用いていくつかの誘導単位を作ると、用いた基本単位の違いによって、同族的な単位の系列ができます。これを単位系といいます。単位系の性格は基本単位のとり方で決まるので、通常はこれを示すために基本単位あるいはその記号を並べてよびますが、そのほかの表し方もあります。

メートル法による単位系

現在、世界的に標準的な物はメートル法を基準とした単位系です。メートル法は1790年により国際統一を目指してつくられた単位系で、長さには実測に基づく地球子午線の4000万分の1を1メートルとしたものです。

このようにしてつくられたメートル法も、科学や工業の進歩につれて各種の単位系に分かれました。その主なものをあげると、ＭＫＳ単位系、ＭＫＳＡ単位系、ＣＧＳ単位系、ＣＧＳ静電単位系、ＣＧＳ電磁単位系などです。

・ＭＫＳ単位系

基本単位に「メートル、キログラム、秒」を用いる。

・ＣＧＳ単位系

基本単位に「センチメートル、グラム、秒」を用いる。

・国際単位系（ＳＩ単位系）

メートル法は、本来国際的統一単位系としてつくられたもので、いくつかの単位系に分かれることは好ましくありません。そこで１９６０年の第11回国際度量衡総会において、これらを統一した単位系として決議されたのが国際単位系（Système International d'Unités）です。

メートル法以外の単位系

メートル法が現れる以前に、各国で使われていた伝統的な基本単位を用いた単位系です。これについては後の「伝統的単位」の章で詳しく見ることにしますが、ここで簡単に見ておきましょう。

① ヤード・ポンド法

ヤードとポンドを基本単位にとったアングロ・サクソン系の単位系です。工学用としてはこれに時間の秒が加わり、温度に華氏(かし)度をとります。起源は古代オリエントであり、ギリシア、ローマおよびアラビア系の影響が加わっています。

② 尺貫法

長さに「尺(しゃく)」、重さに「貫(かん)」を基本単位とする日本固有の単位系です。その起源は古代中国にあって共通する点は多いですが、中国では重さの単位に「斤(きん)」をとっています。

☑進法による違い

単位系を特色づけるものに、もう一つ数値の進法があります。メートル法の10進法は18世紀末につくられたものですが、それ以前の西洋の単位系は古代オリエントの60進法や、ギリシア・ローマ時代の12進法の混合したものでした。

日本でも10進法や12進法、更には4進法などが複雑に入り混じっていました。

①10進法

現在、世界の言語の数詞は10進法が圧倒的であり、英語、中国語、ヒンディー語、ロシア語、日本語など、話す人数の多い言語の大半で使われています。古語ではラテン語も同様です。古語大言語で10進法でないのは、20進法を遺すフランス語などに限られます。

10進法が定着した理由には諸説ありますが、その1つに、人間の指が両手で10本あるから、というものがあります。元々、数字は物を数えるためのものとして誕生し、誕生したばかりの数字は自然数（1、2、3、4…）だったと言われています。

物を数えるために身近に使えるものは、やはり手の指です。両手の指10本を1つの単位として、10本で一区切り、11からは2人目の人の指を使う、というように物を数え、10進法が定着したものと思われます。

② 12進法

私たちの世界は基本的に10進法ですが、生活の中には「12」という数字が良く出てきます。12進法の例として次のものがあります。

・年月、時間

1年は12カ月、1日は24時間(＝12時間×2)、1時間は60分(12×5)、1分は60秒(12×5)といった具合で、12がベースになって定められています。

・星座、干支

星座は12個の月に対応して12個であり、干支(えと)も、子、丑、寅、卯、辰、巳、午、未、申、酉、戌、亥の十二支となっています。

・聖人、神

新約聖書に出てくる聖人は12使徒ですし、ギリシア神話で、オリンポス山の山頂に住んでいると伝えられるのも12神です。

・仏教

仏教に出てくる十二縁起は、人間の苦しみの元となるもので、全部で12個あるそうです。

・ダース

1ダースは12個、1グロスは12ダース、12グロスを1グレートグロスと言いますが、これも12進法です。

☑12進法の歴史

1年が12カ月なのは、「月」の動きに関連しています。つまり、月が地球を1年間にほぼ12回転することから来ています。このことは、地球から見ていると、月の満ち欠けが1年間に12回繰り返されることを意味します。

古代の人々は自然を観察する中で、こうした事象を認識し、「12」という数字に自然に特別な意識を持つようになったものと言われています。すなわち、古代において、天体の運行を観察する中で、1年を12の月に分けることが行われ、この12がそれ以外の生活のいろいろな場面で使われるようになったのです。

また、指を用いて数字を数える際に、片手の人差し指から小指までの計12個の節を親指で示す数え方が用いられていたことによるものもあると考えられています。

昔の英国等では、10進法ではなく、12進法が使用されていました。例えば、1971年までは英国通貨の1シリングは12ペンスでした。さらに、現代においても、計量法における1フィートは12インチであり、貴金属や宝石の計量に使用される1トロイポンドは12トロイオンスとなっています。

単位の表現

各種の単位をどのように書き表すのかに関しては、厳密なルールがあります。

単位記号

単位を逐一完全に書くのは煩わしいので、単位記号を決めます。メートル法は国際的な単位系なので、この記号が厳密に定められています。

通常は立体の小文字を用いますが、人名に由来するものは立体の大文字を用います。たとえばメートルはm、キログラムはkg、ニュートンはNのようにします。しかし人名に由来するものでも単位名を完全に書くときは、たとえばnewtonと小文字で書きます。また単位記号には、複数形は用いません。

単位の倍数と分数

基本単位と組立単位だけでは、大きさが適当でない場合が生ずるので、単位の倍数や分数の表し方を約束する必要があります。

つまり、メートル法におけるキロ(1000倍)やセンチ(10分の1)などの接頭語を単位の頭につける方法です。その用法を表に示します。

●SI接頭語

表記	10^n	記号	名称
1,000,000,000,000,000,000,000,000,000,000	10^{30}	Q	クエタ
1,000,000,000,000,000,000,000,000,000	10^{27}	R	ロナ
1,000,000,000,000,000,000,000,000	10^{24}	Y	ヨタ
1,000,000,000,000,000,000,000	10^{21}	Z	ゼタ
1,000,000,000,000,000,000	10^{18}	E	エクサ
1,000,000,000,000,000	10^{15}	P	ペタ
1,000,000,000,000	10^{12}	T	テラ
1,000,000,000	10^{9}	G	ギガ
1,000,000	10^{6}	M	メガ
1,000	10^{3}	k	キロ
100	10^{2}	h	ヘクト
10	10^{1}	de	デカ
1			
0.1	10^{-1}	d	デシ
0.01	10^{-2}	c	センチ
0.001	10^{-3}	m	ミリ
0.000001	10^{-6}	μ	マイクロ
0.000000001	10^{-9}	n	ナノ
0.000000000001	10^{-12}	p	ピコ
0.000000000000001	10^{-15}	f	フェムト
0.000000000000000001	10^{-18}	a	アト
0.000000000000000000001	10^{-21}	z	ゼプト
0.000000000000000000000001	10^{-24}	y	ヨクト
0.000000000000000000000000001	10^{-27}	r	ロント
0.000000000000000000000000000001	10^{-30}	q	クエスト

☑表記法

単位や記号にはアルファベット（a b c…）とギリシア文字（αβγ…が使われています。またその書体も正体（立体）（a b c）だったりイタリック（斜体）（*a b c*）だったりします。これらの使い分けはどうなっているのでしょう。

①アルファベットとギリシア文字

SIで単位を表す場合には7個の基本単位を用いますから、全てアルファベット表記になります。しかし、単位の種類、例えば密度（ρ）、電気抵抗（Ω）、電気伝導率（σ）などにはギリシア文字が当てられていますが、これらは慣習的なものです。

●ギリシア文字の読み方

小文字	大文字	日本の読み方	ギリシア式読み方
α	Α	アルファ	アルファ
β	Β	ベータ	ベータ
γ	Γ	ガンマ	ガンマ
δ	Δ	デルタ	デルタ
ε	Ε	イプシロン	エプシロン
ζ	Ζ	ゼータ	ゼータ
η	Η	エータ	エータ
θ	Θ	シータ	セータ
ι	Ι	イオータ	イオータ
κ	Κ	カッパ	カッパ
λ	Λ	ラムダ	ラムダ
μ	Μ	ミュー	ミュー
ν	Ν	ニュー	ニュー
ξ	Ξ	クシー	クシー
ο	Ο	オミクロン	オミークロン
π	Π	パイ	ピー
ρ	Ρ	ロー	ロー
σ	Σ	シグマ	シグマ
τ	Τ	タウ	タウ
υ	Υ	ウプシロン	ユープシロン
φ	Φ	ファイ	フィー
χ	Χ	カイ	キー
ψ	Ψ	プサイ	プシー
ω	Ω	オメガ	オーメガ

② 正体とイタリック

文字にはいろいろのスタイルがあります。これらの間に細かい違いはいろいろありますが、簡単に言えば正体は直立した普通の文字、それに対して「イタリック」は一般に「斜体」と言われることがあるように、斜めに傾いた文字です。

これらの文字を単位に用いる場合には使用法が定まっています。

・単位は全て正体で書きます

・物理量はイタリックで書きます

紛らわしいのは「1 m」と「$E=mc^2$」の違いなどの場合です。1 mの場合には、mは長さを表す単位記号なので正体で書きます。それにたいして$E=mc^2$の場合には、mは質量全般を指すのでイタリックです。エネルギーのEも光速のcも単位ではなく、量を指す記号なのでイタリックになります。2乗の2は数字なので正体です。つまり「$E=mc^2$」となります。

③ 大文字と小文字

桁を表す接頭語には大文字と小文字がありますが、規則ですから仕方がありません。

覚える以外ありません。

とは言っても倍量の場合にはｄｅ（デカ：10^{1}）、ｈ（ヘクト：10^{2}）、ｋ（キロ：10^{3}）だけが小文字で、残りは全て大文字です。分量の場合には全てが小文字です。

ＳＩ基本単位にも大文字Ａ（アンペア）、Ｋ（ケルビン）と小文字（そのほかの5個）が混じっていますが、大文字のものは人名に由来するので大文字になっています。

リットルの単位記号は、本来は小文字のｌ（エル）にすべきなのでしょうが、ｌでは数字の1と間違いやすいので大文字のLを使うことが推奨されています。斜体のｌ（*l*）や筆記体のℓを使うのは間違いです。

ＳＩ単位の場合のように、人名に由来する単位記号は大文字で書きます。しかし大文字の単位記号でも、それを完全な綴りで書く場合には小文字で書きます。アンペアならAがampereになるということです。

単位記号はどのような場合も単数形で書きます。「10A」だからといって「10As」としてはいけません。しかし完全な綴りで書く場合には「10amperes」のように複数形にしてもかまいません。

単位系と決定機関

各国、各地域に特有の伝統的な単位系がある中で、国際的な標準単位が規定され、世界中でそれが広まろうとしています。このような標準単位はどこでどのようにして決められるのでしょうか。

国際機関

SI単位系をはじめ、メートル法に基づいた国際的な単位を決定する機関は国際度量衡総会(CGPM)です。これは1889年にフランスで創設された会議で、第1回の総会ではメートル原器が決定されました。

1960年以降はほぼ4年毎にパリで開催されています。現在加盟国は51カ国で、その他に17の準加盟国があります。

ＣＧＰＭの下部組織として国際度量衡委員会（ＣＩＰＭ）と国際度量衡局（ＢＩＰＭ）があります。ＣＩＰＭは１８７５年に設立された機関ですが、ＣＧＰＭで決定された事項はＣＩＰＭによって代執行されるため、ＣＩＰＭが事実上の理事機関とされます。一方ＢＩＰＭはＣＩＰＭの管理下にあり、その事務局兼研究所として機能しています。ＢＩＰＭの重要な役割の一つに、正確な世界時を維持することがあります。そのため、世界中の加盟国の原子時間標準を結合して、公式の協定世界時（ＵＴＣ）を作り出しています。

日本の機関

日本では、経済産業省におかれた計量行政審議会（ＭＥＴＩ）、産業総合研究所におかれた情報標準総合センター（ＮＭＩＪ）あるいは情報通信研究機構（ＮＩＣＴ）、化学物質評価研究機構（ＣＥＲＩ）、日本電気計器検定所（ＪＥＭＩＣ）などがそれぞれの分野で単位を研究し、日本が加盟しているＣＧＰＭの決定が確実に円滑に施行されるよう活躍しています。

Chapter.2
日常の単位

お金の数え方

私たちはお金を1円、2円と数え、9999円を超えると1万円と単位を変えます。9999万円の次は1億円であり、次は1兆円です。

鳥を1羽、2羽と数えますが、猫は1匹、2匹と数え、馬は1頭、2頭と数えます。ところがウサギは鳥と同じように1羽、2羽と数えます。皿は1枚、2枚ですが、茶碗は1個、2個であり、箸は2本そろって1膳、2膳です。スーツは1着、2着と数えますが、シャツは1枚、2枚です。靴下は2枚揃って1足です。

このように、離散量でありながらその数え方は千差万別です。物の数え方にこれほど多くの単位を持っている国は日本以外にありません。非常に複雑な単位系ですが、これは日本独自の文化に他なりません。私たちは無意識のうちに、この単位系を使いこなしているのです。この単位系を間違いなく、上手に使いこなせることは「日本人の証明」と言って良いでしょう。

通貨単位

通貨は日常生活に欠かせない物です。しかし、世界共通ではなく、国によって異なります。主な通貨単位を表にしました。

各国の通貨のシステムの違いは表に示した通貨単位の違いだけではありません。日本の場合には通常の取引では1円の買い物も、100兆円の国家予算でも全て「円」単位で行われています。しかし、株式相場の日経平均株価などでは2万7千325円45銭などと、円の下に「銭（せん）」の位を着けます。100銭で1円になります。現在では使われることはありませんが銭の下に「厘（りん）」があり、100厘で1銭になります。この「銭」や「厘」を補助単位と言います。

●主な世界の通貨単位

国	通貨名
オーストラリア	オーストラリアドル
中国	元
欧州連合	欧州連合通貨単位(ユーロ)
香港	香港ドル
インド	ルピー
日本	円
韓国	ウォン
ロシア	ルーブル
シンガポール	シンガポールドル
イギリス	ポンド
アメリカ合衆国	USドル

多くの国では日常生活でも補助単位が用いられます。イギリスではポンドの下、「ペンス」があり100ペンスで1ポンドになります。多くの国では補助単位の価値は通貨の1/100ですが、アメリカの場合には複雑です。

アメリカではドルの下に3種の補助単位があります。ダイム(1/10)、セント(1/100)、ミル(1/1000)です。ただし、日常生活で用いられるのはセントまでです。また中国では「元」の下に「角」(1/10)、「分」(1/100)がありますが分が使われることは少なくなっています。

その他にユーロ諸国は「ユーローセント」(1/100)、ロシアは「ルーブルーカペイカ」(1/100)などとなっています。

進法

通貨の進法は多くの国で10進法となっていますが、昔は複雑でした。国によっては12進法、それだけでなく12進法と10進法の混合、更には2進法、4進法が混じりあうなどと、よほど頭が良くないと買い物もできない状態に置かれていました。

①通貨の進法の実際

イギリスの通貨は、1971年まで1ポンドは20シリング、1シリングは12ペンスとなっていました。ポンドは10進法ですから、12進法、20進法が混じっていたことになります

これは英国に限ったことではなく、他の国でも同じでした。しかし他の国がメートル法を採用して10進法に移行しても英国だけ頑固に古い単位を守ってきたのです。最近では英国もメートル法が強制になり、通貨も現在は10進法です。肉をポンドで売るのは違法になりましたが、距離のマイルとビールのパイントだけは12進法が残っています。

進法の複雑さは江戸時代の日本もひけをとりません。両ー分(1／4)ー朱(1／16)と、ここまでは4進法でしたが、その下の単位は文(1／4000)。つまり「1朱＝250文」でした。

②進法の理由

現在から見れば10進法以外は複雑で、なぜ10進法にしなかったのだろうかと不思議

にも思えます、当時はそれなりの理由があり、使っている当事者は当たり前として使っていたのでしょう。現代の私たちが時計の12進法、60進法に慣れているのと同じことです。

４進法が採用されたのは次のような理由が考えられます。つまり大昔は、取引の決済に金や銀の延べ棒のように、貨幣の重さで決済することがありました。このような貨幣を秤量貨幣と言います。その際、分割しやすいのは1／2、1／4、1／8などです。10進法で行う場合にはどこかで1／5という分割が入ります。こんな複雑な分割はできたものではありません。誰かが不平を言うでしょう。

12は、10に比べて約数が多いので、等分割が容易でした。10の四等分は、今では2・5、と小数で計算できますが、小数・分数という考えがなかった大昔は2、3、4、6で割り切れる12がとても便利な数だったのです。

貨幣の種類

貨幣には紙に印刷した紙幣と金属で作った硬貨があります。大昔には石でできた石貨や貝でできた貝貨などもあったようですが、現在用いている国はありません。どこの国も高額貨幣は紙幣、少額貨幣は硬貨になっていますが、金でできた金貨や銀でできた銀貨には高額の物もあります。また、中間の額に関しては紙幣と硬貨の両方が揃っていることが多いですが、その実態は国によっていろいろあります。

☑日本

日本では紙幣として1万円、5000円、2000円、1000円、貨幣として500円、100円、50円、10円、5円、1円が発行されています。紙幣も貨幣も、現在は発行されていない古い物でも使える物がありますから、もしそのような物が見つかったら捨てないで銀行に相談した方が良いでしょう。ただしそのような物は貨幣商に持って行けば額面以上に買い取ってもらえるかもしれません。

硬貨の素材は新500円（ニッケル黄銅、白銅、銅）、100円（白銅）、50円（白銅）、10円（青銅）、5円（黄銅）、1円（アルミニウム）となっています。

素材のニッケル黄銅は50％以上の銅と亜鉛とニッケルから構成される合金で、洋銀（ようぎん）、洋白とも言われます。白銅は銅とニッケル、青銅は銅とスズ、黄銅は銅と亜鉛の合金です。硬貨の素材として銅が使われるのは銅の殺菌作用によるものと言われます。

紙幣の素材は、ミツマタ、アバカ（マニラ麻）などとなっています。ミツマタは、古くから和紙の原料として使われており、明治12（1879）年に初めてお札用紙の原料として採用されてから、現在まで伝統が受け継がれていると言います。

アメリカ

紙幣は100ドル、50ドル、20ドル、10ドル、5ドル、1ドルが発行されています。日本の紙幣と違って、大きさや色調に大きな違いは無く、中央の肖像だけが異なっているので、使う場合には注意が必要です。それが逆に誤使用を防いでいるのかもしれません。日常使うのは20ドル札くらいまでで、50ドル、100ドル札を使うことはあまりなく、店によっては受け取りを断られることもあるそうです。アメリカでは小切手決済が普及しているので、紙幣の用途はあまり無いようです。

硬貨は1ドル、50セント、25セント（通称クォーター）、10セント（ダイム）、5セント（ニッケル）、1セント（ペニー）が発行されています。素材は全て銅や亜鉛、ニッケル、スズを用いた合金です。アメリカ硬貨というとシルバーダラーを思い浮かべますが、現在発行されている中に銀貨はありません。

その他の外国

中国では紙幣は100元、50元、20元、10元、1元、5角、1角が発行されています。硬貨は5元、1元、5角、1角、5分、2分、1分があります。

ロシアでは、紙幣は5000、1000、500、100、50、10ルーブル、硬貨は10、5、2、1ルーブル、それと50、10、5、1カペイカが発行されています。

SECTION 09

神仏の数え方

神様や仏様は物体ではないので、数えるという概念に合わないようにも思えますが、神様、仏様は擬人化されていることを考えれば数えることがあっても良いのでしょう。また宗教にはいろいろの付帯設備や用具があり、それらは当然、数えることができます。

神様の数え方

- 神様、御神霊……柱(はしら)
- 御神座……座(ざ)
- 神社……社(しゃ)、処(しょ)(ところ)
- 社殿……棟(とう)(むね)

●お守り

- 神棚……宇（う）
- お札（ふだ）、お守り、絵馬……体（たい）
- 破魔矢、鏑矢（かぶらや）、笏（しゃく）……本（ほん）
- 祝詞（のりと）、祭詞……折（おり）

なお、神主さんの数え方は特にないようです。次の人間の数え方のうち、丁寧に「お一方」流に数えるのが無難でしょう。

仏様の数え方

- 仏様……尊（そん）
- 寺……軒（けん）、寺（じ）、宇（う）、山（さん）
- 位牌……柱（はしら）
- お経……写経のような綴じてないものは「枚」、巻物・竹簡（木簡）は「巻（かん）」、本のように閉じられたものは「部」「冊」、大般若のような複数の場合「巻」
- 墓……基（き）

・仏壇……基
・遺骨……柱
・遺体……体
・骨壺……口(一口(いっこう))
・坊さん……普通のお坊さんは1人、2人、偉いお坊さんは1方、2方、古事記では1口、2口という数え方もあるといいます。

キリスト教の数え方

・教会……一つ、二つ、堂、教会(一教会)
・十字架……本
・神様……一人(絶対神なので元々一人しかいません)
・天使……人
・悪魔……匹、人
・神父、牧師……とくにありません

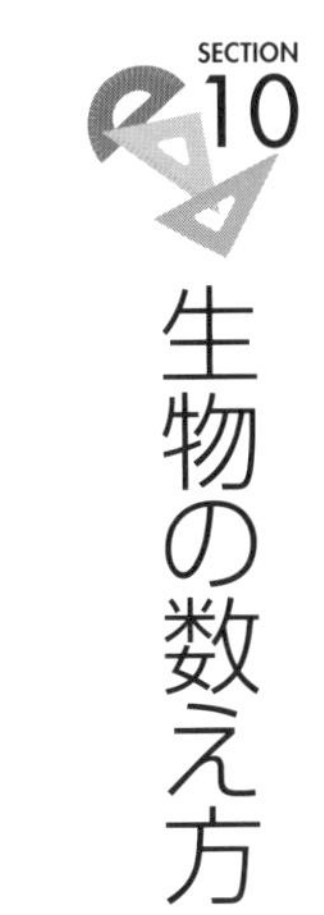

生物の数え方

日常生活において量を数えるのは大切なことです。この際の単位が物によって変わるのはどこの国でもあることですが、日本では生物と非生物で分かれるだけでなく、その種類によっても分かれ、事細かに決められています。

生物には人間を始めとした哺乳類、鳥類、魚類、昆虫類などがあり、それぞれ独特の数え方で数えられます。その数え方を見てみましょう。

☑人間

人間の数え方は基本的に人（にん）です。少数の場合には1人（ひとり）、2人（ふたり）ですが、それ以上は3人（さんにん）、4人（よにん）と数詞に「人」を着けてそのまま読みます。また、名前がわかる人の集団の場合には1名（いちめい）、2名（にめい）と数詞に名を着けて読むこともあります。

しかし、丁寧に言う場合にはお一方、お二方と言いますが、3人ではお三人様となり、それ以上は皆様方となるようです。神主、坊さんなども丁寧な数え方になるようです。

死んで遺体となると1体、2体と数えられ、遺骨、位牌になると1柱、2柱となり、お墓になると一基、二基となります。

哺乳類

基本的には、哺乳類に限らず、全て動物に対して次のようになります。

- **人間より大きな動物は「頭」**
- **人間より小さな動物は「匹」**

ライオンも鯨も、魚類のジンベエザメもマンタも爬虫類のワニも人間より大きいから「頭」で数えます。一方、猫や金魚は人間よりも小さ

●ライオン

いから「匹」で数えます。

① 例外

・生まれたばかりの小さいライオンなど

この場合は、「頭」でも「匹」でも大丈夫です。動物が成長し、体が大きくなるにつれ「頭」を使うようになります。

・人間を助けてくれる動物は「頭」

たとえば、盲導犬、警察犬、救助犬、新薬の開発に実験に使うマウスなどの動物は人間を助けるので大小に関係無く頭で数えられます。

・絶滅のおそれがある動物は「頭」

たとえば、イリオモテヤマネコ、蚕など絶滅のおそれがあったり、人間にとって価値があったりする動物は体の大きさに関係なく「頭」で数えます。

② 特殊例

・蹄（ひづめ）のある動物は「蹄（てい）」を使う

馬は人間より大きいので基本は「頭」で数えます。しかし、馬やイノシシ、鹿などは足に大きくて固い爪（蹄（ひづめ））を持っているので、「蹄」で数えます。馬の場合は、４本の足に蹄があるので「４蹄」です。つまり、馬1頭＝４蹄です。しかし、イノシシや鹿は、馬と同じく足が４本ありますが、1頭を「1蹄」で数えます。意味不明です。

・豚の数え方

豚は、1匹か1頭を使うのが普通です。つまり、子豚（匹）、成豚（頭）です。蹄があるので猪のように1蹄も使えそうですが、あまり耳にすることはありません。

・ウサギ　羽（1羽（いちわ）、2羽（にわ））

ウサギを羽で数える理由にはいくつかの説があります。

その①……仏教では、牛や豚、ウサギなどの４本足のけものを食べることが禁じられていました。どうしても食べたくて辛抱できなくなったお坊さんが、ウサギは後ろの2本足で立つことができるので「ウサギは鳥だ」と言って食べたからという説です。

その②……ウサギの長い耳が鳥の羽に見えたこと、さらに野山を走るウサギが空を飛びまわっている鳥のようなので、鳥の数え方「羽」をあてはめたという説です。

その③……ウサギがたくさん獲れた時、ウサギの長い耳をくくって輪にして持ちました。その輪が転じて「羽」と数えるようになったという説です。

鳥類

鳥は「羽(わ)」で数えるのが基本です。理由は言うまでも無く、鳥には「羽」があるからです。鳥はスズメやインコのように小さくても、タカのように大きくても「羽」で数えます。ペンギンやダチョウなどの飛べない鳥の数え方も基本は「羽」です。しかしこれらは飛べないので動物のように数えることもあります。その場合には、大きなダチョウは「頭」、小さなペンギンは「匹」で数えられます。

クジャクも羽があるので基本は「羽」で数えます。しかしオスのクジャクは、羽を広げると扇（おうぎ）のような姿になります。扇は「面」と数えます。そのためクジャクは扇の数え方と同じ面で数えられることもあります。

魚類

日本人は魚に慣れ親しんでいたので、魚の状態に応じていろいろの名前の付け方があります。

① **生きている状態**

基本的に「匹」ですが、サメなどのように大きな物は「頭」で数えます。

② **水揚げされた状態**

基本的に尾（び）ですが形状や性質に応じてさまざまな数え方が出現します。

- **マグロ……本**

・サンマやイワシ、タチウオなどの細長い魚類……本
・ヒラメやカレイなどの平面的な魚類……枚
しかし、数が多くなると、まとめた数え方が出てきます。例えばハゼの場合にはたくさん釣れることから、100匹をまとめて1束(いっそく)と数えますし、シラウオは20匹をまとめて1チョボと数えることがあります。

③魚を切り分けた状態
魚を上身・中骨・下身にさばくことを「三枚下ろし」といいます。
・上身、下身……1丁、2丁
・半身を半分にした物……1節(ひとふし)、2節(ふたふし)
・ブロック状の肉片……ひところ、ふたころ
・それを短冊状に切り分けた柵……1柵(ひとさく)、2柵(ふたさく)
・刺身や握り鮨に使う切り身……1切(ひときれ)、2切(ふたきれ)

●マグロの柵

④調理した状態

- アジなどの魚を開いて干物にした物……枚
- イワシなどを連ねて干した目刺し……連（れん）
- ウナギを開いて串に刺した物……串
- 蒲焼き……枚
- 鰹節……本

昆虫

昆虫は、ほぼすべて人間より小さいので動物と同じように「匹」を用います。しかし、チョウは昆虫なのに「頭」を使うこともあります。その理由は、明治時代に英語で書かれた論文に、チョウを「one head」「two heads」と頭を意味する「head」で数えていた記述があります。これを訳したため、チョウを「1頭」「2頭」と数えるようになったのではないかという説が有力です。ちなみに、ガは姿がチョウに似ていますが「匹」で数えます。学問の世界では、チョウに限らずトンボ、カブトムシも「頭」で数えます。

非生物の数え方

生命の無い普通の物体の数え方も、物体の種類によって異なります。中には同じ種類の物体でも大きさ、用途などによっても数え方が異なってきます。

建築物

- 普通の家屋、集合住宅の中の一単位……戸
- 普通の家屋、小規模の集合住宅……軒
- 鉄筋コンクリートで作られた大型の建物……棟
- 物置小屋……棟(組み立て式の簡単な物は台でも数えます)
- 棟、戸前(とまえ)……蔵　・城……城(じょう)
- ダム、原子力発電所、人工衛星、観覧車……基(き)

☑乗り物

陸上、空中、水上といろいろの乗り物があります。それぞれの乗り物によっていろいろの数え方があります。

①陸上移動

・一輪車、二輪車、リヤカー、手押し車……輪

・二輪車(自転車、バイク)、自動車、戦車……台

・鉄道車両、モノレール、ロープウェイ……両

大きさの大小に関わらず、自力や機械動力などで道路を走る車両の個数単位を「台」。レールを走る車両の個数単位を「両」としています。トラックや戦車も「台」が正しい数え方です。

②空中移動

・航空機……機

・ヘリコプター……機、台
・ロケット……機、台、本(小型の物)

③水上移動
・小型船……艘(そう)
・大型船……隻(せき)
・競技用ヨット、ボート……艇(てい)
・戦艦……艘、隻、艦
・潜水艦……艘、隻、艦、艇

生活雑器

①和服
・着物、長じゅばん、羽織、下着、袴……枚
・帯、帯締め、帯揚げ、簪(かんざし)、櫛、手ぬぐい……本

●着物

・足袋、草履、下駄……足
・打掛、鎧……領
・裃、狩衣……具
・扇子…閉じている時は本、開いた時は面、枚
・手袋…左右揃いで双、対、足

②洋服
・スーツ、ドレス、コートのように、全身を覆ったり、上着として着るもの……着
・シャツ、ブラウス、セーター、スカート、ズボンなど、全身を覆うものではない物。
下着、カジュアルな上着、普段着のワンピースなど……枚
・ズボン……本

③食器
・皿……枚
・茶碗、鉢、丼……個

・来客向けの食器……客
・箸……食事用の箸は割り箸も2本で「1膳」「ひと揃い」。火箸・菜箸は食事用ではないので2本で「ひと揃い」「ひと組」「1具」
・徳利……一本、または肩に下げて持ち歩いたことから一提(ひとさげ)、一丁とも数えます。
・重箱……重ね、重。積んだ重箱は上から順に一の重、二の重、三の重などと数えます。

☑楽器

・パイプオルガン……台
・バイオリン……丁、挺(ちょう)
・チェロ・コントラバス……丁、挺、台
・ギター……本、台
・琴……面
・三味線……棹、丁、挺
・西洋管楽器……本

●バイオリン

・日本管楽器（尺八、笙、篳篥）……管
・ティンパニー、ドラム……台
・太鼓……面、張、個（小型）、台（大型）

その他

・箪笥……棹
・机……台、卓（食卓・座卓）、前（写経用の机）
・椅子……脚
・包丁……一本、挺（丁）、柄のある道具を数える柄でも数えます。
・刀……一本、一振、一口、一腰

●箪笥

Chapter.3 基礎的な単位

数

量の大小に限らず、全ての大小関係を表すのは数です。数には1から始まって2、3、4…とだんだん大きくなっていく大数（たいすう）と、反対に0.9、0.8…とだんだん小さくなっていく少数があります。

大数

日本の場合、大数は、10000までは1＝一、10＝十、100＝百、1000＝千、10000＝万と10倍になるにつれて単位名が変わっていきますが、それ以降は10000倍＝10^4倍ごとに名前が変わります。つまり1万万が億になり、1万億が兆になり、1万兆が京（けい）にと変化します。このような名前は10^{48}の極（ごく）までは漢字1個の名前ですが、その次の10^{52}恒河沙（ごうがしゃ）では漢字3個になり、10^{64}の「不可思議（ふかしぎ）」で漢字4個になり、10^{68}の「無量大数（むりょうたいすう）」で終わりになります。つまり、日本の数え方では10000無量大数以上の数は存在しないことになります。というより、数えきれないということでしょう。

日本の国家予算が100兆程度ですから、無量大数がいかに大きな数字であるかがわかります。

少数

1より小さい少数は10分の1になるごとに名前が変わります。10^{-12}までは漢字1個の名前ですが、それより小さくなると漢字2個になり、さらに10^{-20}以下はまた漢字1個になります。

塵ひとつない清潔な空間を「清浄」というのは、最も小さい数が清や浄であることから来たものなのでしょう。しかし、何も無い空間を日本語で「虚空」というのは、清浄と置き換えた方が良いようにも思えますがいかがでしょう?

●日本の大数と小数の単位

単位	読み方	10^n
一	いち	1
十	じゅう	10
百	ひゃく	100
千	せん	1000
万	まん	10^4
億	おく	10^8
兆	ちょう	10^{12}
京	けい	10^{16}
垓	がい	10^{20}
秭	じょ	10^{24}
穣	じょう	10^{28}
溝	こう	10^{32}
澗	かん	10^{36}
正	せい	10^{40}
載	さい	10^{44}
極	ごく	10^{48}
恒河沙	ごうがしゃ	10^{52}
阿僧祇	あそうぎ	10^{56}
那由他	なゆた	10^{60}
不可思議	ふかしぎ	10^{64}
無量大数	むりょうたいすう	10^{68}

単位	読み方	10^n
一	いち	1
分	ぶ	0.1
厘	りん	0.01
毛	もう	0.001
糸	し	10^{-4}
忽	こつ	10^{-5}
微	び	10^{-6}
繊	せん	10^{-7}
沙	しゃ	10^{-8}
塵	じん	10^{-9}
埃	あい	10^{-10}
渺	びょう	10^{-11}
漠	ばく	10^{-12}
糢糊	もこ	10^{-13}
逡巡	しゅんじゅん	10^{-14}
須臾	しゅゆ	10^{-15}
瞬息	しゅんそく	10^{-16}
弾指	だんし	10^{-17}
刹那	せつな	10^{-18}
六徳	りっとく	10^{-19}
虚	きょ	10^{-20}
空	くう	10^{-21}
清	せい	10^{-22}
浄	じょう	10^{-23}

※「虚(きょ)10^{-20}」以下は別の分類もある

アボガドロ数

高校時代に化学で習った数にアボガドロ数というものがありました。1モルの物質量に含まれる原子や分子の個数で、6×10^{23}個でした。これは日本式で言えば6000垓になります。これがいかに大きな数であるかは、次の思考実験で実感できるのではないでしょうか。

コップ1杯の水は約180mLですから180gであり、10モルに相当しますから、水分子の個数は6×10^{24}個です。この水分子に赤いペンキを塗って赤くします。この赤い水を持って東京港へ行き、海に捨てます。赤い水分子は東京湾に広がり、太平洋に広がり、蒸発して雲になってヒマラヤに行き、雨となってチベットに降り、という具合に世界中に散らばります。何億年か経って、赤い水が世界中に万遍なく散らばった所で、再び東京湾へ行き、コップ1杯の水を掬います。

ここでクイズです。さて、このコップの中に赤い水分子は入っているでしょうか?クイズの性質から言って答えは想像できるでしょうが、その通り、答えは「入っている」です。しかも数百個もです。アボガドロ数の大きさがわかろうと言うものです。

SECTION 13

長さ

物体の長さは、1メートル(m)を基本単位として表されます。メートル法は科学全般に使われている長さの単位であり、最も厳密に定義され、それだけに最も信頼される単位です。

メートルという名前は「物指」あるいは「計測」を意味する古代ギリシア語の「メトロン」からの造語です。良く使われるメーターは俗語であり、正式の名称ではありません。漢字で「米」と書くのも正しくはありません。

定義

現在のメートル法では、長さは光速によって定義されています。それによると、「1m=2億9979万2458分の1秒の間に光が真空中を伝わる長さ」です。

これは光速が秒速30万㎞であるという一般に良く知られた事実を基にして、「30万㎞すなわち3億ｍの3億分の1」を厳密に定義したものです。

派生する単位

長い距離を測るにはキロメートル（㎞）、短い距離を測るにはセンチメートル（㎝）、ミリメートル（㎜）などが用いられます。その換算は以下の通りです

- 1㎞(キロメートル)＝1000ｍ＝10^{3}ｍ
- 1㎝(センチメートル)＝(1／100)ｍ＝10^{-2}ｍ
- 1㎜(ミリメートル)＝(1／1000)ｍ＝10^{-3}ｍ
- 1μm(マイクロメートル)＝(1／1000)㎜＝10^{-6}ｍ

かつてはμ（マイクロ）ともいわれましたが、現在ではマイクロメートルに統一されています。金箔の厚さは数μmであり透明です。金箔を透かして外を見ると青緑色に見えます。

・1nm（ナノメートル）＝（1／1000）μm＝10^{-9}m

現代科学産業の一分野として使われる「ナノテク」はナノメートル（nm）スケールの微小物質を扱う技術のことを言います。原子の直径は0．1nm＝10^{-10}mスケールであることから、この技術は原子直径の10倍程度、すなわち、大きめの分子を直接取り扱う技術と考えることができます。ちなみに原子核の直径は10^{-14}mであり、原子直径の1万分の1です。つまり、原子を直径100m（1万cm）の球とすると、原子核の直径は1cmです。東京ドームを2個貼り合わせた巨大どら焼きを原子とすると、原子核はピッチャーマウンドに転がるビー玉ほどの大きさになります。

・1pm（ピコメートル）＝（1／1000）nm＝10^{-12}m

原子直径は100pmのオーダーになります。

・1Å（オングストローム）＝10^{-8}cm＝10^{-10}m

水素原子の直径が約1Åであることから、かつては原子直径や光の波長を表す単位としてよく用いられましたが、現在は用いられません。

定義の歴史

歴史的に見ると、後の第7、8章で見るように、長さの単位は国や民族によっていろいろあり、それぞれ異なる単位の長さを使用していました。この単位を統一しようとの試みは17世紀の頃からありました。

①振り子に基づく定義

1668年頃、イギリスの天文学者クリストファー・レンは2秒の間隔を刻む振り子の長さを標準長とすることを提案しました。この振り子の長さは現在の997㎜であり、このことから、後の1m＝1000㎜とする現在の基本長が芽生えたものと思われます。

②子午線に基づく定義

大航海時代になると万国共通の標準長を作ろうとの要望は現実的なものとなりました。検討した結果、地球の子午線全周長の4千万分の1にすることになりました。

「4千万分の1」としたのは、その長さが先の振り子の長さで規定した長さで規定した「1m」にほぼ一致するからです。

フランス科学アカデミーは1792年から三角測量によって実測を始めました。しかし、時はフランス革命の真最中であり、測量隊は持っていた測量器具のおかげで反革命分子のスパイ活動と疑われたり、スペインで足止めされるなど、幾多の困難に遭遇したと伝えられます。しかしようやく1798年に北極からパリを通り、赤道に達する子午線の全周の1/4を実測することに成功しました。

1799年、フランスはこの長さの千万分の1を1mと定め、この長さを基に白金Ptからなる原器をつくり、これをメートルの副原器と定めてフランス国立中央文書館に保管しました。この原器はアルシーブ原器と呼ばれます。

③ 標準器に基づく定義

しかし、その後、地球が完全球でないことがわかるなど、子午線の長さを標準長に採用することの意義が不明確になってきました。そのため、それまで副原器とされていたアルシーブ原器の長さそのものを標準長とすることが決定されました。

その後、アルシーブ原器を基に、白金90%、イリジウムIr 10%からなる合金の原器を作り、これを国際メートル原器と定めました。

④ スペクトルに基づく定義

メートル原器には製作当初から誤差が指摘されており、そうでなくても破損や焼損の恐れがあります。そこで自然界に普遍的に存在するもので長さを規定しようという考えが持ち上がりました。その結果採用されたのが、原子の発する光の波長による定義でした。

1960年、国際度量衡委員会でクリプトンKrの同位体の一種である^{86}Krの発光スペクトルの波長の1650763.73倍を1mとすることが決定されました。「0.73」という半端な数字が着くのは、標準長をできるだけメートル原器の1mに近づけようとの配慮が働いたものです。

⑤ 光に基づく定義

しかし、クリプトンのスペクトルの波長測定には安定性の問題があり、再現性に欠ける欠点がありました。そこで、本項冒頭に書いた光に基づく定義に変更され、現在に至っています。

メートル法の普及

メートル標準長が定まっても、一般的には伝統的な長さが根強く残り、メートル法の普及は困難でした。1875年にはメートル条約が成立し、メートル法の普及に各国が協力して努力することが謳われました。しかし米国は積極的ではなく、現在に至ってもフィート、マイル等の伝統的尺度が生きています。

日本は1885年にメートル条約に加盟し、1891年にはそれまでの伝統的な尺貫法と併用する形でメートル法を導入しました。そして1951年に計量法を定め、メートル法以外の使用を禁じました。

面積

方形の広さ、面積は縦(の長さ)×横(の長さ)です。

定義

縦横の長さをメートル単位で表したのが平方メートルm^2であり、キロメートル(10^3メートル)単位で表したのが平方キロメートル(km^2)です。必然の結果として「$1km^2=(10^3)^2m^2=10^6m^2=100$万$m^2$」となります。これでは両単位の間の差が大きすぎます。

派生する単位　アール(a)・ヘクタール(ha)

この間を埋めてくれるのがアール(単位a)、ヘクタール(単位ha)です。その定義は、

1アールが10m四方の面積、1ヘクタールが100m四方の面積というように、わかりやすい倍率となっています。

- $1a = 10m \times 10m = 100m^2$
- $1ha = 100m \times 100m = 10000m^2 = (100) \times 10^2m^2 = 10^4m^2 = 100a$
- $1km^2 = 1000m \times 1000m = 10^6m^2 = 100ha$

●面積の単位

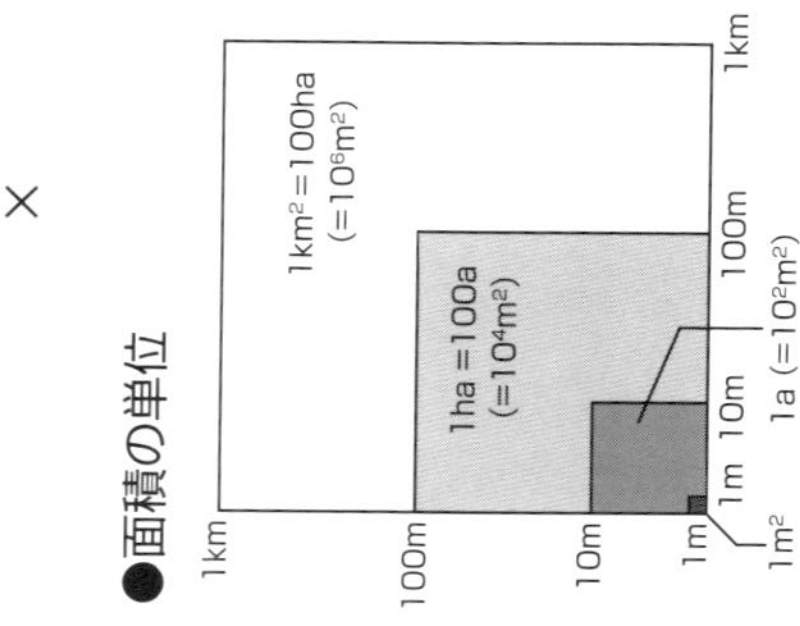

単位・記号の由来

昔「1m」を「1米突」と書いた歴史があることから、単位を表す「平方」と「米突」を組み合わせて「1m²=1平米」とする表示を目にしますが、正式の表示法ではありません。

アールの語源はラテン語の面積を表すareaに由来します。ヘクタールはヘクト+アールであり、ヘクトはラテン語で100倍を表す接頭語であり、アールの100倍を意味します。この単位は農地の面積を表すときには昔の面積単位に似て便利ですが、それ以外に使われることは次章で見る気圧の単位(ヘクトパスカル)以外あまりありません。

体積

直方体の体積は縦×横×高さです。

定義

直方体の3辺、つまり縦、横、高さの長さを全てメートル法に基づく単位で表して計算した体積がメートル法に基づく体積です。

派生する単位

基本単位である立方メートル㎥の他にも各種あります。

- 1立方メートル＝各辺が1ｍの立方体の体積＝1㎥

・1リットル(l、L)=各辺が10㎝の立方体の体積=(1/10)3m^3=(1/1000)m^3=1000mL
・1デシリットル(dL)=(1/10)L=100mL
・1センチリットル(cL)=(1/100)L=10mL
日本では使われませんが、フランスなどでは一般に使われています。
・1ミリリットル(mL)=各辺が1㎝の立方体の体積=(1/1000)L=1cc

☑記号・単位の由来

デシは1/10、センチは1/100、ミリは1/1000を表す接頭語です。ccはcubic centimeter、1辺1㎝の立方体の略です。リットルを表す記号は大文字、立体のLまたは小文字l（エル）が正しいとされています。当初は小文字で立体のl（エル）だけが正しいとされていましたが、これでは数字の1（いち）と間違われることが多いので、1979年に大文字のLも認めることにしました。現在ではLの方が推奨されています。読み方はリットルです。リッターと読むのは「カッコイイ」ようですが間違いです。

重さ

単位の基本となる時間(秒)と長さ(メートル)は光や原子という、未来永劫変化しない物を基準にして定められています。それに比べて重さ、質量の基準はかなり緩やかです。

定義

1kgは、パリにある白金90%、イリジウム10%の合金で作られたキログラム原器の重さで定義されていました。しかしこれでは錆びなどによって重さが変化することがありえます。そのため、2018年に新しい定義が制定されました。それによるとキログラムの定義は「プランク定数hをJs単位($kg\ m^2\ s^{-1}$)で表したときに、その数値を$6.62607015 \times 10^{-34}$と定めることによって定義される」というものです。この結果

●キログラム原器

129年に渡って使われてきたキログラム原器は博物館行きになりました。

☑定義の経緯

メートル法を制定した時、長さは地球の子午線、重さは水で定義しようと言うことになりました。そこで1気圧、3・98℃における水1dm^3（1000mL、1L）の質量を1kgにしました。3・98℃という中途半端な温度は、水の密度が最大になる温度を選んだからです。1799年には、この重さと等しい重さの分銅を白金Ptで作り、原器としました。これはアルシーブ原器と言われます。ところが後に原器と同じ質量の水を計測したところ、体積が1000・028mLであることがわかりました。原器は重すぎたのです。そこで1889年に改めて白金90%、イリジウムIr10%の合金で原器を作り直し、この質量を1kgと定めました。この原器はパリの国際度量衡局に、2重の気密容器で真空中に保護された状態で保管されています。

この時、同時にいくつかの原器が作られ、そのうちの1個は日本にも来ました。ただしこれも本物の原器より0・176mgだけ重すぎたそうです。

☑宝石の重さ

宝石や貴金属は単位重量当たりの価値が高いものです。これらの重量の表示には特別の単位があります。

① カラット(Ct)

宝石の重さを表す単位はカラットです。1カラット＝0・2g＝200㎎です。カラットという名前はマメ科の植物デイコの種子のアラビア名quirratから出たと言われます。この種子は大きさと重さが揃っていたので、昔は秤の分銅として宝石の重さを量っていたことから、重量の単位名になったものです。

ちなみにこれまでに見つかった最大のダイヤモンドは1905年に南アフリカで発見されたカリナン原石で3106カラット、約620gです。ダイヤの比重は3・5ですからこれは大きさでいうと約180mL、大人の握りこぶしほどあります。

カリナン原石は大きいだけでなく、透明度、美しさも第一級でした。そのため、献呈されたイギリス国王エドワードⅦはこれを小分けして宝石にすることにし、割って整形し磨いてしまいました。その結果、最大のカリナンⅠ（530ct）を始めとして、カリナンⅡ（317）、Ⅲ（94）など9個の宝石が作られました。Ⅰは王笏に、Ⅱは英帝国王冠に飾られています。なお、カリナン原石はダイヤモンドの結晶1個そのままではなく、両正方錐系結晶の破片の一部で、握りこぶし型の物でした。割れる前には5000カラット以上あったものと思われます。懸命の捜索にもかかわらず、残りの破片は現在まで発見されていません。

②トロイオンス（oz tr、toz）

金、銀、白金などの貴金属を計る単位にはトロイオンスが用いられます。トロイオンスは国際的には31．1034768gです。日本ではトロイオンスの使用は「金貨の質量の計測」に限定して認められており、その場合、1トロイオンス＝31．1035gと定められています。しかし一般的には金貨、銀貨、白金貨にも用いられています。

③もんめ（匁）（monnme、mon）

もんめ（匁）は童謡の「花一匁」に歌われるように、日本の伝統的な重さの計量単位です。現在では真珠の取引でだけ用いられる単位であり、1もんめ＝3・75 gです。真珠だけにもんめが用いられるのは、真珠の養殖に世界で初めて成功した御木本幸吉に敬意を払ったからだそうです。真珠の重さには、もんめの他にカラット、グレーン（0・05 g、50㎎）も用いられます。しかし真珠の市販では、真珠の大きさは重さでなく、真珠玉の直径（㎜）で表示されるのが一般的です。

④ カラット

金製品の品質表示として18 K、24 Kなどの K（カラット）がありますが、これは重さの表示ではありません。これは金の純度を表します。純金を24 Kとし、金50％含有量の金合金ならば12 Kとなります。純金は軟らかいので宝飾品にすると擦れて輝きを失います。その為、銀や銅などを混ぜて20 K、18 Kなどの合金にして用います。また、合金は色調が異なるので、青金、赤金、黄金などの種類があります。なお、プラチナPtの純度は千分率のパーミルで表し、純プラチナは1000パーミルとなります。これを悪用して100パーミル（10％）の粗悪プラチナを「100」パーセントの純プラチナと偽って売りつける悪徳宝石商がいるとの話もあります。

時間

時間の単位は速度、振動など、動きのある量に欠かせない基本単位です。

定義

時間は、セシウムCs原子の同位体である^{133}Cs原子が発する光の波長の周期によって定義されています。すなわち1秒は、この原子が絶対温度0度で静止した状態で放出した光の周期の91億9263万1770倍の時間なのです。原子は電子を持っており、その電子は電子殻に入っています。そして電子はどの電子殻に属するかによって個有のエネルギーを持っています。これを電子のエネルギー順位と言います。あるエネルギー順位の電子が、より低いエネルギー順位に移動（遷移）すると、その順位間のエネルギー差ΔEに相当するエネルギーを電磁波として放射します。電磁波の振動数

νとエネルギーEの間にはプランクの定数hを介して次の関係があります。

- $E = h\nu$

秒の定義はこの電磁波の1波長の継続する時間の9192631770倍の時間を1秒と定義したものです。

定義の由来

秒という単位は、元々は1日と言う単位から導かれたものです。すなわち、地球が1回自転するのに要する時間を1日とし、その24分の1を1時間、その60分の1を1分、そのまた60分の1を秒としたのです。しかし、天文測定が精密化すると、地球の自転時間には変動があることがわかり、科学的に要求される精密さに対応できないことがわかりました。そこで1960年に地球の公転周期を基準とするものに改正されました。しかしそれでも要求に合わないことから、1967年に新たに定義されたのが^{136}Csを用いる現在の定義です。その後1997年に「絶対0度で静止した」という条件を付加して更に精密にして現在に至っています。

秒より長い時間の定義

分、時、日は時間の基本単位である秒を用いて次のように定義されています。

①分、時間の定義

・分(min)…1分＝60秒
・時(h)………1時間＝60分＝3600秒
・日(d)………1日＝24時間＝1440分＝86400秒

1秒は原子時計を用いてほとんど究極の精度が保障されています。1分、1日、1時間の長さは、その正確に定義された1秒の整数倍ですから、秒と同じ精度が保障されています。

②月、年の定義

月、年の定義は、2つの独立した基準を基にしているため、複雑な関係になっています。

- 1カ月……28日から31日
- 1年……365日もしくは366日

このような不定期な定義になったのは、日は地球の自転に基づく単位であり、年は公転に基づく単位だからです。そのため、1年は正確にいうと365日ではなく、365.2421895572日になります。

この問題の妥協的解決策として、天文学では計量の単位としての「年」として、1年を365.25日としたユリウス年を用います。1ユリウス年は、31557600秒と定義されています。

閏年

現在私たちが用いている暦は1582年にローマ教皇グレゴリウス13世が制定した暦法でグレゴリウス暦と呼ばれます。これは太陽暦とも呼ばれ、地球が太陽の周りを一周する時間を1年とし、地球が1回自転するのに要する時間を1日としたものです。

① 端数の調整

この結果、１年＝３６５・２４２１８９５７２日となります。したがって１年＝３６５日としたのでは年と日の間に誤差が出ます。この誤差を補正するのが閏年（うるうどし）であり、閏年には2月を1日長い29日とすることになっています。

問題は、どのような間隔で閏年を置くかですが、グレゴリオ暦の閏年の決め方は次のようになっています。すなわち、「４年毎の１年を閏年とするが、西暦年号が１００で割り切れる年は平年とする。ただし４００で割り切れる年は閏年とする」というものです。この結果、閏年は４００年間に97日間となり、４００年間にわたる平均日数は、１年＝３６５・２４２５日となります。

② オリンピック

オリンピックは４年毎に開かれますが、閏年にだけ開かれるわけではありません。１９００年はグレゴリオ暦に従って平年でしたが、第2回パリオリンピックが開かれました。ただし２０００年は４００年に1回、１００で割り切れながら閏年となる、希少な年であり、オリンピックと閏年が重なりました。

Chapter. 4
気象の単位

温度

夏は暑く、冬は寒いのが日本の気候です。でも、「去年の夏は過ごしやすかったのに今年は大変だ」とか、「私の若い頃にはこんなに暑くなかったのに」などと言います。暑いか寒いかは人によって感じ方が違います。それでは、暑いか寒いかはどうやって決めれば良いのでしょうか？　それが温度です。

相対温度

温度は「熱い」、「冷たい」という感覚を、老若男女にかかわらず、誰でも平等にわかるように考え出された単位です。この単位で示された「寒い」という範囲を寒いと感じなかったら、「変わった人」ということになります。

つまり、人による「感じ方」より「温度」という指標の方が優先されるのです。しかし温度は連続量です。温度を「10個」とか「110個」とかといって示すことはできません。温度を誰でも平等に感じる数量という「単位」に合わせるためには、誰でも知っている標準に合わせる必要があります。

摂氏(単位C)

温度の標準を「水」に求めたのが摂氏(せっし)温度です。

①元々の定義

摂氏は1気圧において氷が融ける温度(融点を)0℃、水が沸騰する温度(沸点)を100℃とした温度スケールです。現在では後に見る絶対温度を使って、「ケルビンで表される熱力学温度(絶対温度)から273.15を減じたもの」と定義されています。

摂氏という名前は、このスケールを発明したスウェーデンの天文学者Celsiusの名前に由来するものです。この名前を中国語で〝摂爾修斯〟と書いたことから、日本では摂氏としました。セッシ温度の単位を表す「C」はCelsiusの頭文字によるものです。

ただし、セルシウスが最初に考えたスケールは、水の沸点を0度、融点を100度としたもの、つまり温度目盛りを現在とは逆の低温側に伸ばすものでした。現在のスケールは彼の死後に変えられたものといいます。

なお、℃には接頭語を付けてはいけないことになっているので、1000を意味する接頭語であるKを付けて、1000℃を1k℃と書いたら間違いです。また日本では、一般に0・1℃を1分と言い、36・5℃を36度5分などと言うことがありますが、これは正式な言い方ではありません。36・5℃（サンジュウロクテンゴドシー）が正確な言い方です。

② 現在の定義

ただし、現在の摂氏スケールは融点と沸点ではなく、絶対温度によって定義されています。絶対温度は水の沸点や融点ではなく、水の三重点の温度、0・01℃を273・16K（ケルビン）として定義されています。三重点というのは水の三つの状態、すなわち結晶状態の氷、液体状態の水、それと気体状態の水蒸気の三種の状態が同時に存在する（共存）する温度です。つまり、摂氏によって計られた三重点の温度を絶対温度に置き換えているのです。
この結果、1気圧の水の沸点は100℃ではなく99．97
43℃、融点は0．00025 19℃となります。

☑ 華氏（単位F）

華氏（かし）という単位はこのスケールを提唱したドイツの科学者Fahrenheitによるものです。この名前を中国語で華倫海と書いたことから、日本では華氏と呼ぶことになりました。記号は「F」です

① 定義

ファーレンハイトは温度基準として寒剤の温度「−21.2℃＝0F」と人間の体温「36.5℃＝96F」をとりました。寒剤とは物体を冷やす物のことです。家庭でも手軽に作ることのできる寒剤は氷と塩（塩化ナトリウム）の混合物です。この混合物の温度はマイナス21・2度まで下がるので、昔はアイスクリームの製作などに利用されまし

た。かつて冬の高速道路などに凍結防止に塩を撒いたのはこの理由です。つまり、塩を撒いておけばマイナス21・2度までは道路が凍結することは無いのです。

華氏は、この寒剤の温度を低温の基準とし、一方高温の基準には人間の体温をとり、これを96度としました。96度という数字に科学的な意味は無いようです。

このスケールで水の温度変化を計ると融点が31・2度、沸点が206・5度となります。しかしこれでは融点と沸点の温度差が175・3度となり、彼の「美学」に合わなかったようです。そこで温度差を180度になるように改めて、水の融点を32度、沸点を212度としたのだそうです。

② 華氏の感覚

この定義によって、摂氏と華氏は次の式で互換されることになります。

- **華氏＝(9/5)×摂氏＋32**

華氏は日本では使われませんし、科学でも使われません。しかしアメリカでは使われていますが、それも気温を表す場合に限られているようです。感覚としては

・華氏の0度……華氏の庭の最低温度
・華氏の100度……高めの体温

とはいうものの、華氏が考案されたのが1720年頃、摂氏が考案されたのは1742年です。つまり、摂氏の温度スケールを考える時に使った温度の基準である水の融点、沸点は、そもそもは華氏を使って計られたのです。してみれば、華氏は摂氏を作るのに使われたと言うことができるかもしれません。

●絶対温度、摂氏、華氏

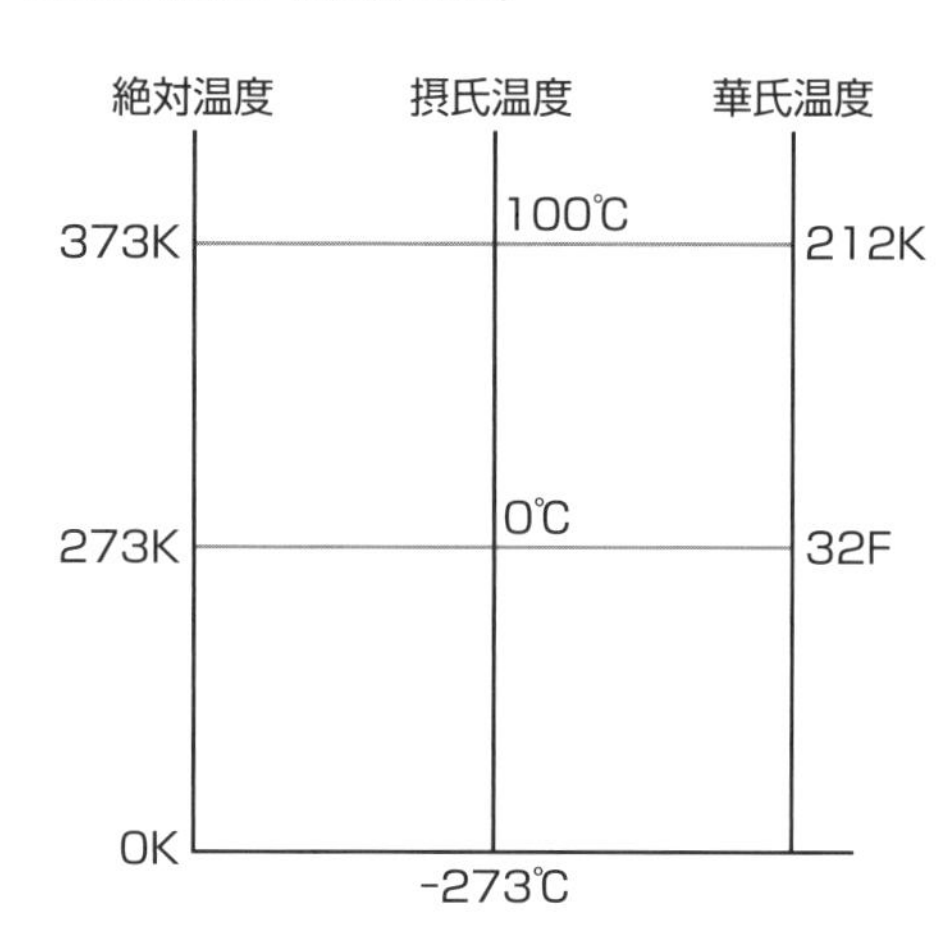

絶対温度

科学的に正確な温度スケールを作ろうという目的で作られた温度単位を絶対温度

（記号T）と言います。温度単位を決めるためには少なくとも2つの基準点が必要です。

① 定義

絶対温度（T）では下限の温度を0度（0K、ケルビン）とします。すなわち、これ以上低い温度は存在しない、という温度です。したがって絶対温度にはマイナスの温度はありません。ちなみに温度に上限はありません。何億度でも何兆度でも可能です。

もう一つの温度は水の三重点（0・006気圧で0・01℃）です。水の融点（0℃）や沸点（100℃）は圧力が変われば変化します。しかし三重点の温度は圧力に影響されません。というか、圧力が変化したら三重点という3状態（3相）共存の状態は起こらないのです。そして、その状態が起こったら、それは圧力0・006気圧、温度0・01℃に決まっているのです。

絶対温度は、この三重点の温度を273・16Kと定義します。当然、絶対温度の目盛は0K〜273・16Kの間を273・16等分したものとなります。つまり、温度間隔は摂氏のままということです。したがって絶対温度（T）と摂氏温度（t）との関係は次のようになります。

・T＝273・16 ＋t

絶対温度の単位であるケルビンKは、このスケールを提唱したイギリスの物理学者ウィリアム・トムソン（ケルヴィン卿）の名前から採っています。

融点（mp）、沸点（bp）

一般に物質は低温で固体の結晶、高温で気体、その中間の温度では液体になります。固体、気体、液体などを物質の状態と言い、物質がそれらの状態の間を変化することを相変化と言います。

これらの相変化のうち、結晶から液体への変化（融解）、あるいは液体から固体（凝固）に変化する温度を融点と言い、液体から気体への変化（沸騰）、あるいは気体から液体に変化（凝結）する温度を沸点と言います。

① 状態図

融点、沸点は圧力の影響を受けます。この関係をあらわしたものが物質の状態図といわれるものです。水の状態図を示しました。

状態図で3本の線分ab、ac、adで分けられた3つの領域があります。水の圧力P、温度Tを表す点(PT)が領域Ⅰにあるときには水は固体状態、すなわち氷でいます。領域Ⅱにあったら液体、領域Ⅲなら気体の水蒸気ということです。

もし線分ab上にあったら、液体と気体が共存する状態、すなわち沸騰状態ということを意味します。そのため、線分abを沸騰線ということもあります。同様に線分acは凝固線、線分adは昇華線です。

●水の状態図

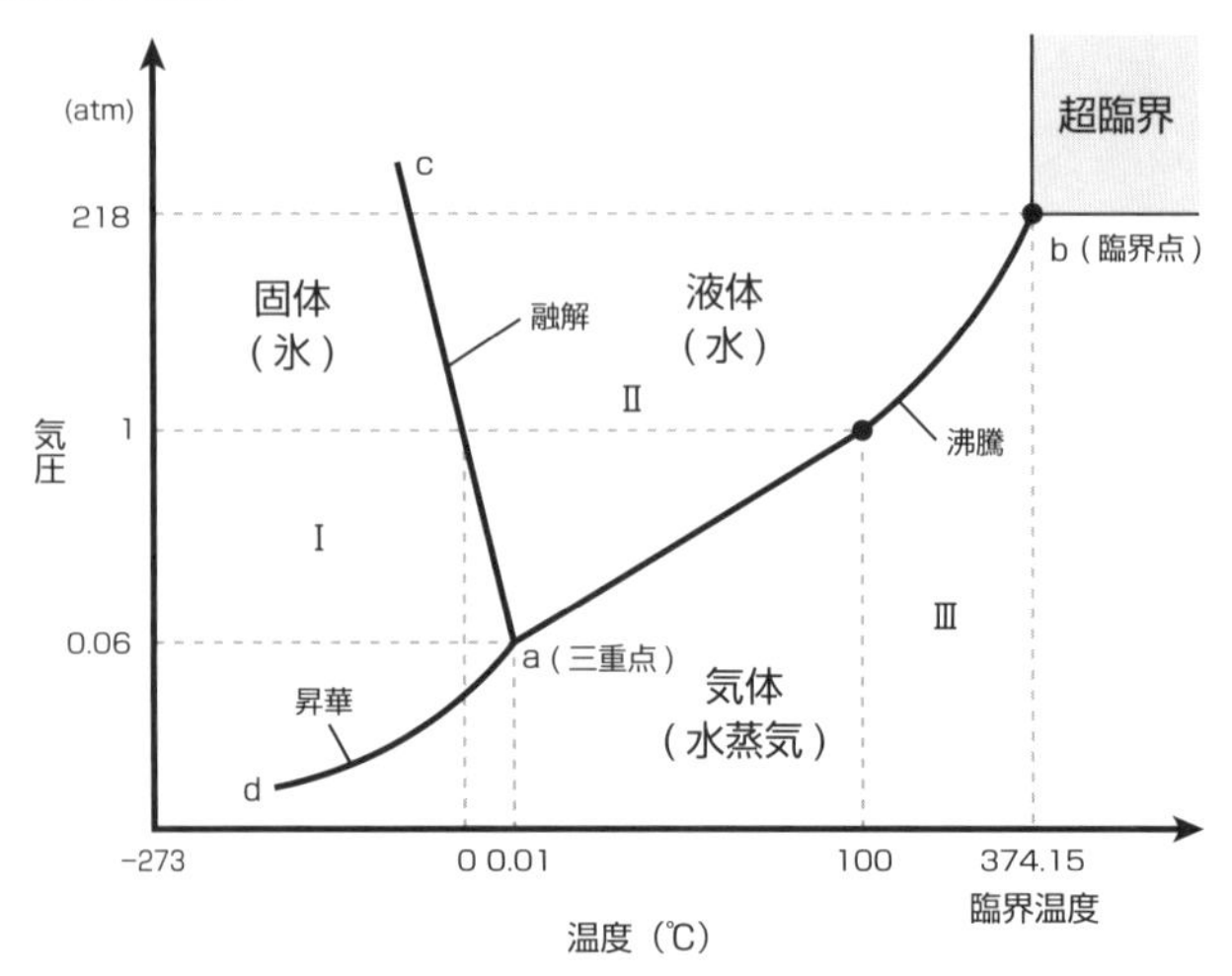

②温度と圧力

1気圧の線と線分ａｂの交点の温度は100℃になっています。これは水の沸点は1気圧の下では100℃であることを意味します。圧力が高くなると沸点も高くなることがわかります。これは圧力鍋の内部が100℃以上になることを意味します。

1気圧での水の融点は0℃ですが、圧力が高くなると融点は下がります。すなわち高圧では、水は0℃以下でないと凍らない。逆に言えば1気圧0℃では氷が融けることを意味します。

氷の上にスケート靴を履いて立てば、氷には圧力が掛かり、融点が下がって氷は融けます。この際に出た水が潤滑剤の役を果たすのでスケートを履いた人がスムーズに滑るということです。

☑臨界点

水には臨界点と呼ばれる特殊な温度が2点あります。

① 超臨界状態

温度は絶対温度0K、つまり273℃以下に下がることはありえませんから、水の状態図において線分ac、adは0Kの縦軸にぶつかった所で終わりになります。それでは線分abはどこまでも伸び続けるのでしょうか。そうではありません。図の点bで終わりです。この点を臨界点といいます。

しかし水は圧力をかけ、温度を上げれば、臨界点を超えた領域に達することができます。この領域を超臨界状態と言い、この状態にある水を超臨界水と言います。超臨界水は特殊な性質を持った水であり、水と水蒸気の中間の性質を持ちます。つまり、液体としての密度、粘度を持ち、同時に気体としての激しい分子運動をしています。

超臨界水は有機物を溶かす、酸化作用があるなどの特殊な性質をもっています。この溶解性を利用して、有機反応の溶媒として水を使うことができます。通常の有機化学反応は大量の有機溶媒を使い、それが産業廃棄物を増やす要因となっています。しかし、水を溶媒として用いることができれば廃棄物を大幅に減らすことができます。

超臨界水の酸化作用は公害物質としてよく知られたPCBの分解に利用されます。PCBは絶縁性と耐久性を持つ液体として大量に生産されましたが、1970年代に有害性が指摘されて生産、使用が禁止され回収が義務付けられました。

しかし、当時はＰＣＢを分解する手段がありませんでした。そのため、長いこと各企業体で保管してきましたが、近年ようやく超臨界水を用いた効率的な分解法が開発されました。

② 超伝導状態

絶対温度は物体(原子、分子)運動の目盛です。これらの運動の激しさは絶対温度に比例します。その例として、気体の体積は絶対温度に比例するというボイルの法則があります。また理論上０Ｋ(絶対温度０ケルビン)では全ての物体(原子、分子)は運動(熱振動)を止めて静止するはずです。

この０Ｋに近い温度を作りだしたのがオランダの科学者オンネスであり、液体ヘリウム(沸点４・22Ｋ)を作りました。その結果、発見したのが超伝導現象です。

一般に金属の電気伝導度は低温になると上昇します。水銀もその通りでした。ところが、ヘリウムの沸点に近い４・２Ｋになると、突如、水銀の電気伝導度が無限大、すなわち電気抵抗が０になったのです。この状態を超伝導状態と言います。超伝導状態では電気抵抗＝０、すなわち、コイルに発熱無しに大電流を流すことができます。その結果、超強力な電磁石を作ることができます。この磁石を超伝導磁石と呼びます。超伝導磁石は脳の断層写真を撮るＭＲＩやリニア新幹線で車体を浮かせる強力磁石などとして、現代科学において不可欠なものとされています。

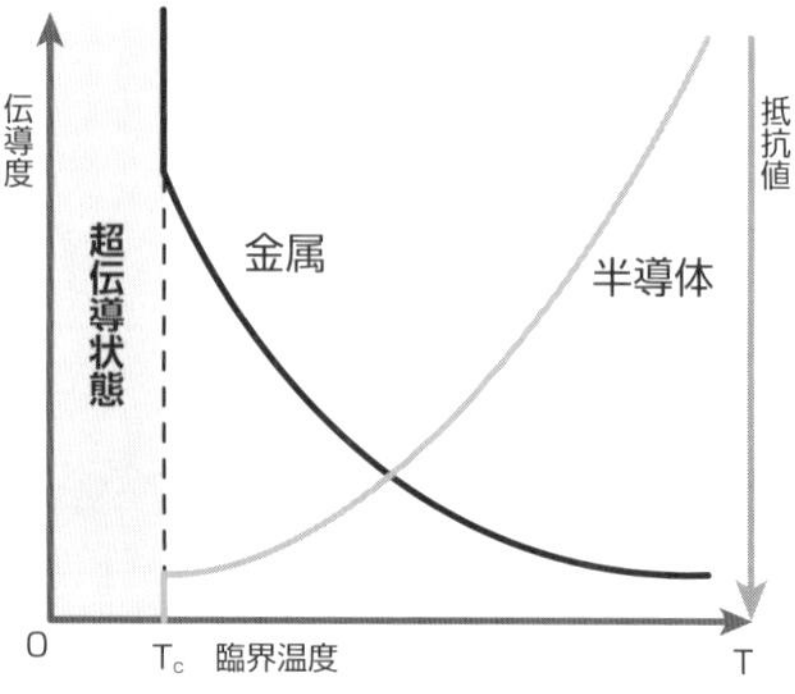

☑高温の例

温度には下限はありますが、上限はありません。さまざまな高温の例を見てみましょう。

・最高気温……日本41・１℃　浜松市（２０２０年８月17日）、熊谷市（２０１８年７月23日）
　世界56・７℃　アメリカ、デスバレー（１９１３年７月10日）

・生物の生育限界温度……１２２℃（１３０℃のオーブンで３時間生存）

●伝導度と温度

- 原子炉……280℃（定常運転時の冷却水温度）
- ボイラー燃焼温度……1500℃
- 鉄の融点……1538℃
- 酸素アセチレン炎……3500～3800℃
- タングステンの沸点……5555℃
- 地球中心温度……6000℃
- アーク溶接温度……1万～1万5000℃
- 原爆爆発直後の中心温度……10万℃
- 太陽温度……6000℃（表面）、100万℃（コロナ）、1600万℃（中心）
- 核融合炉……数千万～数億℃
- 大型水素爆弾爆発直後の中心温度……4億℃
- 超新星爆発の中心温度……100億℃
- 人類作成最高温度……5・5兆℃（2012年、大型ハドロン衝突型加速器）
- ビッグバンの直後……10兆℃

SECTION 19

湿度(%)

空気はいろいろの気体の集まりです。主な物として窒素N_2が約78%、酸素O_2が約21%、アルゴンArが約1%です。二酸化炭素も0.03%ほど含まれます。その他に水蒸気H_2Oも含まれるのですが、水蒸気の割合は地域、気候状態によって大きく変わるので、空気の組成としては普通、無視されます。

絶対湿度と相対湿度

ある温度の空気が最大限に含んだ時の水蒸気の量を飽和水蒸気量と言います。飽和水蒸気量は温度に影響され、高温で大きくなります。飽和水蒸気量と温度とのグラフを図に示します。

① 絶対湿度

絶対湿度は、空気中に何gの水蒸気が含まれているかを表す数値で、容量絶対湿度と重量絶対湿度があります。容量絶対湿度は単位体積の空気中に含まれる水蒸気を重さで表したものでg/㎥の単位で表します。

一方、重量絶対湿度は単位重量の空気中に含まれる水蒸気の重量を表したもので乾燥空気の質量に対する水蒸気の質量の比をあらわしたもので混合比とも言われます。

国際的には容量絶対湿度を用いる国が多いようですが、日本では重量絶対湿度を用います。

●飽和水蒸気量と温度の関係

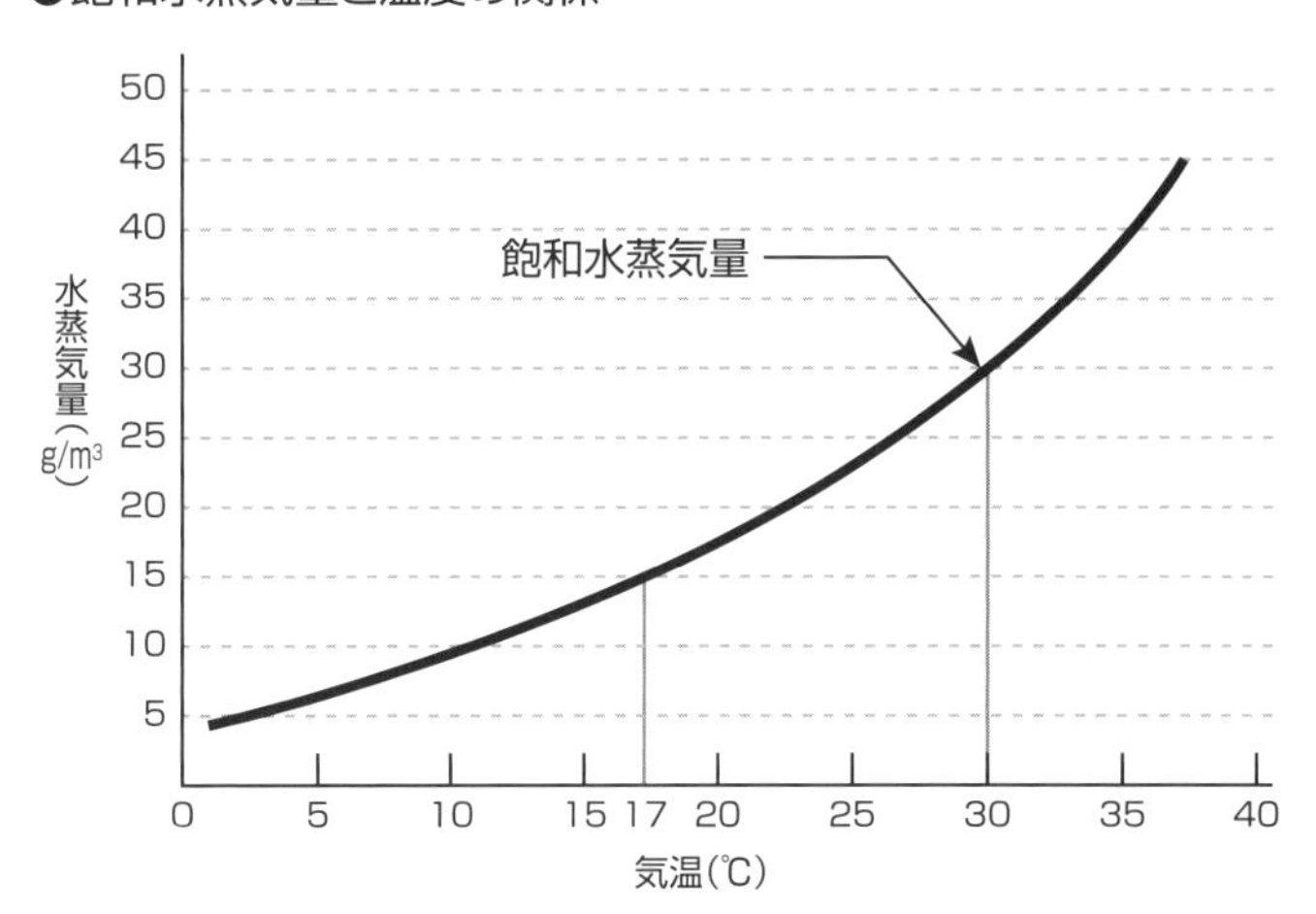

② 相対湿度

一般に使われる湿度は相対湿度です。これはある気温における飽和水蒸気圧に対する実際の空気の水蒸気圧の比を言います。一般に百分率（パーセント、％）で表されます。相対湿度は水蒸気圧で定義されますが、空気中の水蒸気量（重量）と蒸気圧はほぼ比例するため、実際には重量を使って計算しても問題はありません。

湿度と生活

空気が湿っぽいとか乾いているとかと、湿度は人間の感じやすいものです。湿度が低ければ洗濯物が乾きやすいので、洗濯日和ということになります。一方、火災が起きやすいので消防関係から注意が出ます。

室温17℃と30℃での飽和水蒸気量は、前ページのグラフによればそれぞれ15g、30gです。したがって、それぞれの温度において相対湿度50％の空気1㎥中に存在する水蒸気量を求めると、17℃で7・5g、30℃で15gとなります。このことから、高温では相対湿度は低くても、実際の水蒸気量は多いことがわかります。

湿度が低いと風邪のウイルスの活動も活発になり、風邪が流行しやすくなります。風邪に関しては相対湿度ではなく、絶対湿度が大きく関係しているとの説もあります。それは、湿度が高いと空中を浮遊するウイルスに水蒸気が付着し、重くなったウイルスが床に落ちるからといいます。だとしたら、空気中に実際にどれだけの水蒸気が存在するかが問題となるので、相対湿度ではなく絶対湿度で見積もるべきだという考えです。

冬は例え相対湿度が高くても、そもそも飽和水蒸気量が少ないので空気中の水蒸気量は少ないのです。食中毒も湿度と関係があり、相対湿度が80%を超えると要注意ということです。

気圧(atm)

空気を構成する酸素や窒素の分子は時速何百㎞という飛行機並みの速度で飛び回っています。飛び回る分子は物体に衝突します。その時、物体を押す力が気圧(atm)になります。

単位

気圧を計る指標にはいくつかの単位があります。

① mmHg

一端を閉じたガラス管を水銀で満たし、水銀溜めの中に逆さに立てると、管内の水銀は下がりますが、やがて止まります。この時の水銀柱の高さは約760㎜です。この時、ガラス管の上部には真空部分が生じすますが、これを発見者の名前を取ってトリチェリの真空と言います。これは、管内の水銀の重さと、水銀溜めの水銀を押す大気の力が釣り合ったことによるものです。そこでこの水銀柱の高さで気圧を表すことにしたものです。

- 1気圧＝1atm＝760mmHg

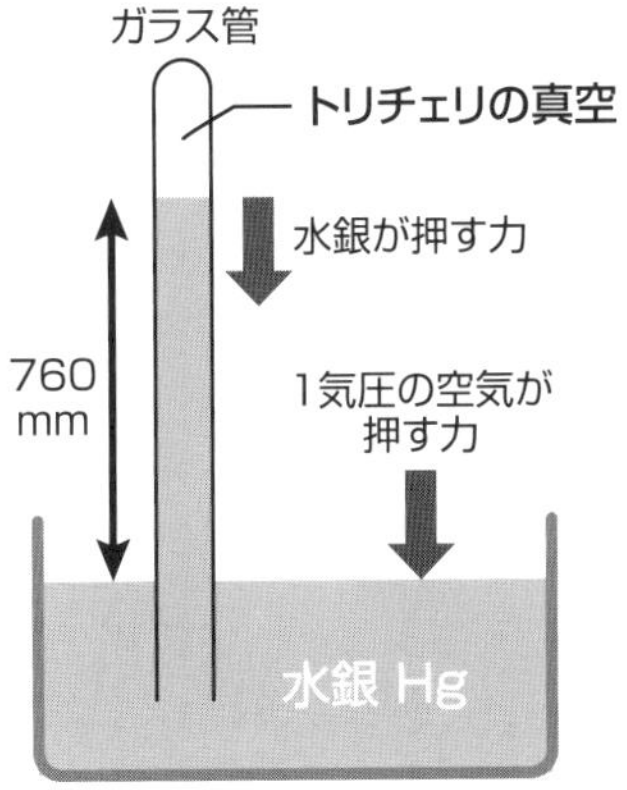

② Torr

先の実験を最初に行ったのはイタリアの科学者トリチェリでした。そこで水銀柱の高さの760㎜を760Torr(トール)として気圧の単位としたものです。

- 1気圧＝760Torr

③ hPa(ヘクトパスカル)

水銀柱の質量を力の単位であるパスカルPaに直した単位です。大気が単位面積

●トリチェリの真空

1m^2を押す力を考えてみましょう。

水銀の比重は13.5951kg/m^3ですから、1気圧で1m^2に占める水銀の質量mは「m=(0.76×1m^3)×(13.5951×10^3kg/m^3)=1.033227×10^4kg」となります。

力Fは運動方程式F=mα（αは加速度）から求めることができます。この場合の加速度は重力加速度g=9.80665m/s^2ですから「F=1atm=(1.033227×10^4kg)×(9.80665m/s^2)=1.01325×10^5kg・m/s^2」となります。

ここで単位kg・m/s^2を気圧の単位であるパスカル「Pa」で読み替えると1atm=1.01325Paとなります。さらに、100をあらわす接頭語のh（ヘクト）を使うと「1気圧=1013.25hPa」つまり、聞きなれた1気圧=1013ヘクトパスカルとなるわけです。

④ mbar(ミリバール)

バールbarは圧力の単位であり、1bar=105Paです。1barの1/1000の1mbarは102Pa=1hPaとなります。つまり、「1気圧=1013hPa=1013mbar」となるのです。昔懐かしい1気圧=1013ミリバールとなるわけです。

☑気圧と生活

気圧は日常的な気象用語として、あらゆるところで使われています。

①気象と気圧

天気予報の解説者はまず、気圧配置から解説し始めます。それほど気圧と天気は関係が深いのです。冬の気圧配置の「西高東低」はおなじみです。

台風の強さも台風の目の気圧によって推し量ります。気圧は海面の高さにも影響します。低気圧と言うことは、大気の界面を押す力が弱いと言うことですから、その分海面は持ち上がって高くなります。台風が沿岸に近寄れば、海面が高くなり、洪水の恐れがでます。これが高潮(たかしお)です。満潮時間と重なったら余計危険です。

②健康と気圧

気圧は私たちの体調や気分にも影響します。私たちは気圧によって常に押さえ付けられています。当然、気圧で潰されないように、体の中から外に膨らませる力が働いています。ところが気圧が低くなると膨らむ力が気圧に勝ってしまいます。その結果、体が膨れます。つまり、血管が膨張します。そして低血圧になるのです。

低血圧で活動力が鈍り、体調が落ちたと感じるのは自然です。また、膨張した血管が脳を押せば、偏頭痛の原因にもなります。肩こりの原因にもなると言います。

エレベーターや飛行機に乗ったときに耳鳴りが起こるのも気圧変化のせいです。

③ 気圧と日常

他に細かいところでは、ストローで飲み物を飲むのも気圧（大気の押す力）があるからできることですし、壁に物を止める吸盤もそうです。また、布団圧縮袋も中が真空になって大気圧で押されるからあのようにしぼむわけです。

震度

大地が上下あるいは左右に振動する現象を地震と言います。

定義

地震は地下深くで起こる地殻変動に基づく振動が地表に現れたものです。したがって、地震の強さという場合には二通りの意味があります。一つは地表がいかに激しく揺れたかであり、もう一つは地殻変動を起こした力がいかに大きかったかというものです。

地表の揺れの激しさを表す指標は震度です。これは敏感な人がようやく感じる震度1（微震）から30%以上の家屋が倒れ、地割れや山崩れが起こる震度7（激震）まで、気象庁が感覚的な尺度で決めています。

☑マグニチュード（M）

地震の揺れ、すなわち震度は地震の発生源（震央）からの距離によって変化します。震源に近ければ激しく揺れ、遠ければ揺れは弱くなります。また地盤の強弱も大きく影響します。すなわち、地殻変動の大きさと、そのエネルギーEとは必ずしも関係しないのです。

マグニチュードと言う指標は、地震のエネルギーを表す指標です。実はマグニチュードを測定するのは困難であり、実際には計算で求めます。しかしその計算式は各国の事情などによって細かい違いがあるようです。

①マグニチュードの計算

日本では気象庁が決めた気象庁マグニチュードが用いられます。それによると地震のエネルギーEとマグニチュードの数値Mとの間には「logE＝1.5M＋4.8」の関係があります。

- マグニチュードMが1大きくなると右辺の数字が1．5だけ増加するからエネルギーは10$^{1.5}$倍、すなわち約32倍大きくなることがわかります。

- 同様に2大きくなると$10^{1.5\times2}=10^3=1000(=32\times32)$倍大きくなります。
- また、マグニチュードで0.2の違いは$10^{1.5\times0.2}=10^{0.3}=2$、すなわちエネルギーが2倍になったことになります。

② マグニチュードの測定

マグニチュードの記号Mは大きさを意味する英語のmagnitudeからとったものです。地震のエネルギーを計るといっても、起きてしまった地震のエネルギーを地震の終わった後に計るのは原理的に困難です。しかも、観測手段がありません。地震を見越して観測機器を埋め込んで置くなどと言うのは現実的でありません。

何かの情報を与えてくれる物があるとしたら、地震計です。揺れの激しさは地震計の針の動き、振幅Aが教えてくれます。しかし、地震計が感じるのは震度です。震央からの距離⊿に影響されますし、地震計の設置された場所の地盤にも影響されます。

⊿は離れたところにある最低3個の地震計を用いれば測定できます。そこでアメリカの地震学者リヒターが考えたのが次の式です。

- $M = \log A + 2.76 \log \Delta - 2.48$

いろいろなマグニチュードがあると言うのは、この式係数や定数を少しずつ変えると言う意味です。気象庁も基本的にこの式に従っています。

☑地震と生活

マグニチュードは地殻変動の大きさを知らせてくれます。したがって地殻変動による津波が起こるかどうかを予測することができます。

マグニチュードは起こってしまった地震のエネルギーです。しかし、大きな地震の後には何回もの余震が続きます。余震のマグニチュードとその規模の余震が起こった回数との間には相関関係があるようです。この関係を用いれば、将来、余震の回数や規模を推定することができるかもしれません。

フジタスケール（竜巻の大きさを表す指標）

日本で毎年台風の被害が出るように、アメリカ内陸部では毎年竜巻の被害がでます。竜巻は巨大な空気の渦巻きであり、短時間の間に巨大な破壊が起こります。大きな竜巻では家も自動車も何もかもが空に吸い上げられ、次には地面にたたきつけられます。竜巻が通過した後の惨状はゴミ箱をひっくり返したような状態です。

ところが、竜巻が通らなかったところは、例え直ぐ隣でも、何の被害もありません。神様の不公平を絵にしたような違いです。

これほどの被害を与えながら、調査団が現場に駆け付けた時には嘘のように空は晴れあがり、竜巻の跡も形もありません。無残な瓦礫の山だけが間違いなく竜巻があったことを証明しているだけです。竜巻の風速も気圧も測定できません。

フジタスケールの決め方

フジタスケールは当時シカゴ大学教授だった藤田哲也氏が提案したもので、竜巻の強さを定性的に評価するための指標です。

主に建築物や樹木等の被害状況に基づいて推定します。つまり、フジタスケールの階級区分は、被災地の写真や映像を用いた検証のほか、竜巻襲来後に地上に形成される渦巻き模様のパターン（サイクロイド状の跡）や気象レーダーのデータ、目撃者の証言、メディア報道や被害画像などを基に決定されます。

フジタスケールは０〜５までの６段階あり、それぞれに推定の風速が示されています。そこで推定される最大風速は秒速１４２ｍです。これは時速に直すと５１１㎞となり、新幹線の２倍の速度です。巨

●フジタスケールの目安（改良フジタスケール）

階級	風速	目安
JEF0	25〜38m/s	物置が横転、樹木の枝が折れる
JEF1	39〜52m/s	軽自動車が横転する、樹木（針葉樹）の幹が破損する
JEF2	53〜66m/s	大型自動車が横転する、樹木（広葉樹）の幹が破損する
JEF3	67〜80m/s	木造住宅が倒壊する
JEF4	81〜94m/s	工場などの屋根のふき材が剥離する
JEF5	95m/s〜	鉄骨系プレハブ住宅が倒壊する

大竜巻のものすごさがわかろうというものです。

しかし、このスケールでは強い竜巻の風速が強調され過ぎると言う批判がありました。そこで1992年に修正フジタスケールが発表され、2007年には改良フジタスケールが発表されました。

日本では改良フジタスケールを日本の実情に合うように修正した日本版改良フジタスケールを用いています。日本ではまだスケール4以上の竜巻は観測されていません。

フジタスケールの用途

フジタスケールが適用されるのは竜巻だけではありません。最近問題になっている気象現象に、予想できない時に突然起こって大きな被害を出す風害、ダウンバーストがあります。飛行場などで起こり、離陸あるいは着陸で不安定状態にある航空機を突発的な事故に落とし入れる気象です。

このダウンバーストの解析にもフジタスケールが役に立っています。

竜巻の被害

アメリカでは最近25年間で、1年間当たり平均54・6人が竜巻の犠牲になっています。記録上最大の人的被害をもたらした竜巻は、1925年3月18日に、ミズーリ、イリノイ、インディアナの3州にまたがって移動した竜巻(F5)で、死者695名に上りました。最近では2011年5月22日に、ミズーリ州で発生した竜巻(F5)で、死者158名がでました。

米国の竜巻多発地域は人口密度が小さいのですが、竜巻の発生が多く、強力で長寿命の竜巻が発生するため、人的被害が大きくなります。

それに対して日本では、1993年までの33年間で1年間当たり平均0・58人が竜巻の犠牲になっています。最大の人的被害は、2006年11月7日に北海道佐呂間町で発生した竜巻(F3)による被害であり、死者9名でした。日本では、大型で長寿命の竜巻の発生が少ないため、人的被害は米国に比べて少なくなっています。

Chapter. 5
物理の単位

波の単位（波長λ、周波数ν）

波は海辺に打ち寄せる水の波だけではありません。光は電磁波という波の一種であり、音は音波という波です。それだけではありません。量子論によれば、人間も含めて全ての物体は多かれ少なかれ波の性質を持っているのです。ただし波の性質（波動性）は原子や電子のような小さい物質になるほど、顕著になります。

☑波の大きさ

波は山と谷で表される曲線の連続であり、谷から山までの距離を振幅、山から次の山までの距離を波長（λ、ラムダ）と言い、1秒間に現れる山の個数を振動数（ν、ニュー）、あるいは周波数と言い、Hz（ヘルツ）で表します。

また、1㎝の間に存在する波の数を波数（記号$\tilde{\nu}$、単位cm^{-1}）と呼ぶこともあります。

波数は振動数と同様に考えることができます。

周波数と振動数は同じことですが、周波数は主に電気工学・電波工学または音響工学などで用いられる工学用語であるのに対して、自然科学（理学）における物理、化学現象には振動数が用いられることが多いです。周波数、振動数は一般的には記号fを用いて表されますが、光の振動数などはνの記号を用いられることが多いです。

光のエネルギー

光はエネルギーEを持ちますがそれは係数hをプランクの定数として「E＝hν」という簡単な式で表されます。一方、光速cは振動数と波長の積で表されますから、「c＝λν」となり、先の式から「E＝hc/λ」となります。つまり、光のエネルギーは振動数に比例し、波長に反比例します。

音

音は音波と言われる空気の波です。波には横波、縦波がありますが、音波は縦波、すなわち疎密波です。音の疎密波とは、空気の密度が変化しながら進行する波動です。この疎密波が物体に当たれば物体はそれを圧力と感じます。強い音（音波）に逢うとガラス戸が割れるのはその証です。従って、音の強弱を表すには音波の圧力を表せば良いことになります。

①デシベル、ベル

音の強弱、すなわち音波の強弱を表す単位としては一般にデシベルがよく知られています。

しかし、デシベルの「デシ」はデシリットル（100mL）のデシと同じように1/10を表す接頭語です。つまり、音の強弱の本来の単位は、デシベルではなく、「ベル」なのです。

ベルは無名数です。それはベルが比を表すものだからです。デシベルは次の式で表されます。

- $n(dB)=20\times\log(P/P_0)$

つまり、測定した音の音圧Pと、基準になる音の音圧P_0の比の対数(log)に20を掛けたものです。P_0としては、人間が耳で感じることのできる最小の音圧である$P_0=20\mu Pa$(マイクロパスカル)を採用しています。したがって、この音圧の音が0デシベル(ベル)、つまり、「聞えない音」ということになります。

デシベルの違いが人間の耳に実際にどのような違いになって聞こえるかを表に示しました。

●デシベルと音の大きさ

デシベル値	倍数	音の大きさ
0デシベル	1倍	人が聞き取れる最小の大きさ
20デシベル	10倍	カサカサ音
40デシベル	100倍	図書館の静けさ
60デシベル	1,000倍	会話
80デシベル	10,000倍	目覚まし時計の音
100デシベル	100,000倍	電車が通るときのガード下
120デシベル	1,000,000倍	ジェット機の爆音

☑ ホン

同じ大きさの音でも、音楽のように耳に心地よい音もあれば、暴走バイクのように耳と心に響く騒音もあります。このような騒音の大きさに対しては、かつてホンという単位が使われることがありました。

これは人間の感覚に即した単位です。すなわち、人間の耳には良く聞こえる周波数と、そうでない周波数があります。

そこで、周波数ごとにデシベルの値に人為的な操作(修正)を加えて、それをホンとします。この結果、同じホン数なら、どのような周波数でも、人間の耳にはほぼ同じ大きさに聞こえるという特色があります。しかし現在では公式な表現はホンではなく、デシベルに統一されています。

光

光には光子という一面と、波(波動)という一面があります。光を波動という面から見ると、光は電磁波の一種であり、基本的に電波と同じものになります。しかし電磁波が、光と呼ばれるためには、ある条件があります。

☑ 光の種類

その条件とは、波長が４００~８００ｎｍの間にあると言うことです。これは、人間の視細胞が光として感じることのできる波長帯がこの領域であることに起因します。この領域に、光の全て、つまり虹の七色に相当する光が存在しているのです。

波長が８００ｎｍより長い電磁波は赤外線と呼ばれ、皮膚は熱として感じますが目は感知することができません。波長がそれより長いと電子レンジのマイクロ波や、短波、長波などの電波となります。

一方、波長が４００ｎｍより短いものは紫外線と呼ばれます。これは人間の眼には見えませんが、高いエネルギーを持つので、それに照射されると人間の肌は日焼けと呼ばれる炎症を始め、種々のトラブルを起こします。

紫外線より更に短波長のものはX線と呼ばれ、生命を脅かすほど危険なものとなります。なお、X線のうち、原子核反応（γ崩壊）によって発生するものを特にγ線と言います。γ線はα線、β線、中性子線などとともに放射線と呼ばれます。かつて「殺人光線」などと呼ばれたものです。

●波長

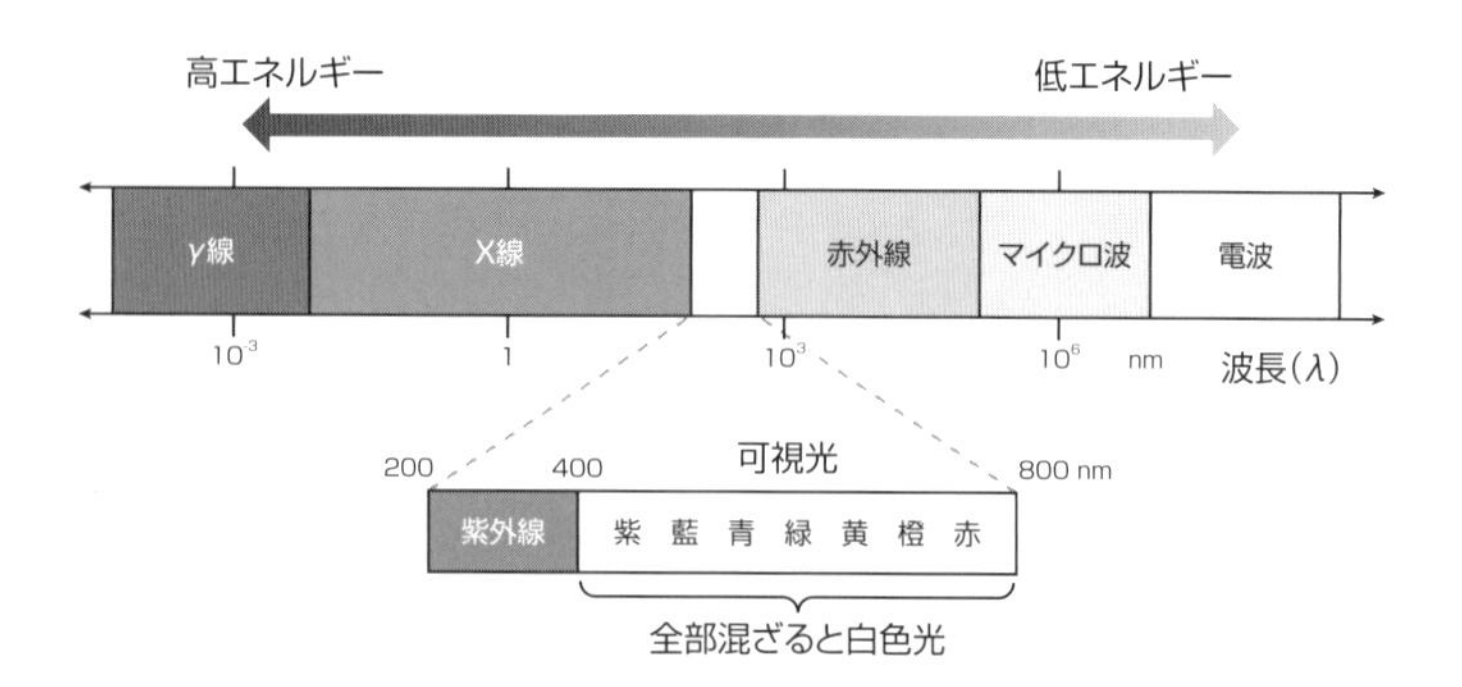

☑ 明るさ

明るさの強度は、これまでに出てきた他の強度と違います。ここまでに出てきた強度は原則的に、測定機器によって計ることのできる強度、すなわち物理的に計測可能な強度ばかりでした。

しかし、強度の中には、人間でなければわからないものがあります。このような量を特に心理物理量といいます。その一つが明るさなのです。明るさはもちろん人間の感じる明るさです。しかし、人間が感じる明るさと、ミミズの感じる明るさは同じなのでしょうか？

人間が感じる明るさは、光と「人間の網膜にある視細胞」との相互作用の結果生じた「変化の大きさ」です。人間の視細胞とミミズの視細胞とで、感じる光の波長や振幅に違いは無いのでしょうか？　こう考えると明るさをどのように定義したら良いのかという根本的な問題に行き当たります。

単純に「明るさ」と言っているものも、いくつかの要素に分けて考えた方が良いことに思い当たります。その結果、出てきたのが次の区分です。

・光度（カンデラ）
・輝度（ニト、スチルブ）
・光束（ルーメン）
・照度（ルクス）

① 光度（カンデラ cd）

明るさは人間が感じるものです。人間とミミズでは明るさの感じ方が違います。光度はそのような、人間本位の尺度において、光源が発する光の明るさ（大きさ、多さ）を表したものです。

・光度（カンデラ）の定義

「波長555nmの光で、所定の方向におけるその放射強度が1／683ワット／ステラジアンである光源の、その方向における光度」というわかりにくいものです。

ここで1ステラジアンは角度の単位であり、円錐の頂点が表す立体角度のことを言います。また1／683という中途半端な数字は、以前使われていた旧単位に近づけるための方便です。波長555nmの光とは緑色の光であり、人間の眼はこの光に対して最も感度が良いことから選ばれました。

光度の単位である1カンデラは、昔の日本なら1本のロウソクが照らす明るさ、すなわち1燭(しょく)に相当します。注意して頂きたいのは、カンデラは光源が放つ光の強度であり、その光が届く場所とは無関係ということです。つまり、遠い所にある光源が放つ1兆カンデラも、目の前にある光源の放つ1カンデラも、観察者にとっては同じ明るさであり得ると言うことです。

② 輝度(ニト nt)

同じ明るさの部屋なら、蛍光灯で照らそうと白熱灯で照らそうと、明るさに変わりはありません。しかしその光源を見た時には、蛍光灯と白熱灯では眩しさが違います。白熱灯、しかも電球のガラスに透かしの無い透明な物がより眩しく見えます。このように、部屋全体を照らす明るさは同じでも、その光を放つ光源がどれくらい眩く輝いて見えるか？　そのような人間的な印象を表す指標が輝度です。

輝度は簡単に言えば単位面積当たりの光度に相当します。同じ明るさでも、一点から発せられれば眩しく感じますが、広い面積から発せられればそれほどでもありません。つまり輝度は単位面積当たりの光度に比例すると考えられます。

・**輝度の定義**

「1平方メートルの平面光源の光度がその平面と垂直な方向において1カンデラであるときの、その方向における輝度を1ニトとする」と、これまた持って回って難解に定義されています。しかしその精神はここで述べた通りです。

③ 光束（ルーメン lm）

相対性理論によれば光は光子という粒子の集合体であり、光線はその粒子が通った軌跡と考えることができます。このように考えた場合、次のようにいうことができます。

・**光束の定義**

1cdの光源から1ステラジアンの範囲内に放射された「光子の個数」です。

光束の単位である1ルーメンの定義は「1カンデラの点光源が、1ステラジアンの立体角内に放出する光束」です。

電球の明るさは何ワットで考えることが多いですが、ワットは電球の消費電力を表す指標であり、電球の明るさとは本来関係がありません。同じワット数の電球でも、電球のガラスが素透しか曇りガラス化によって明るさは違います。このように考えると照明器具の明るさは光束、ルーメンで表示するのが確実であり、現にそうなっています。

参考までに白熱電球のワット数とその電球が放つ全ての光束を示すと「20W（170lm以上）、40W（485lm）、60W（810lm）、100W（1520lm）」となっています。

●ステラジアン

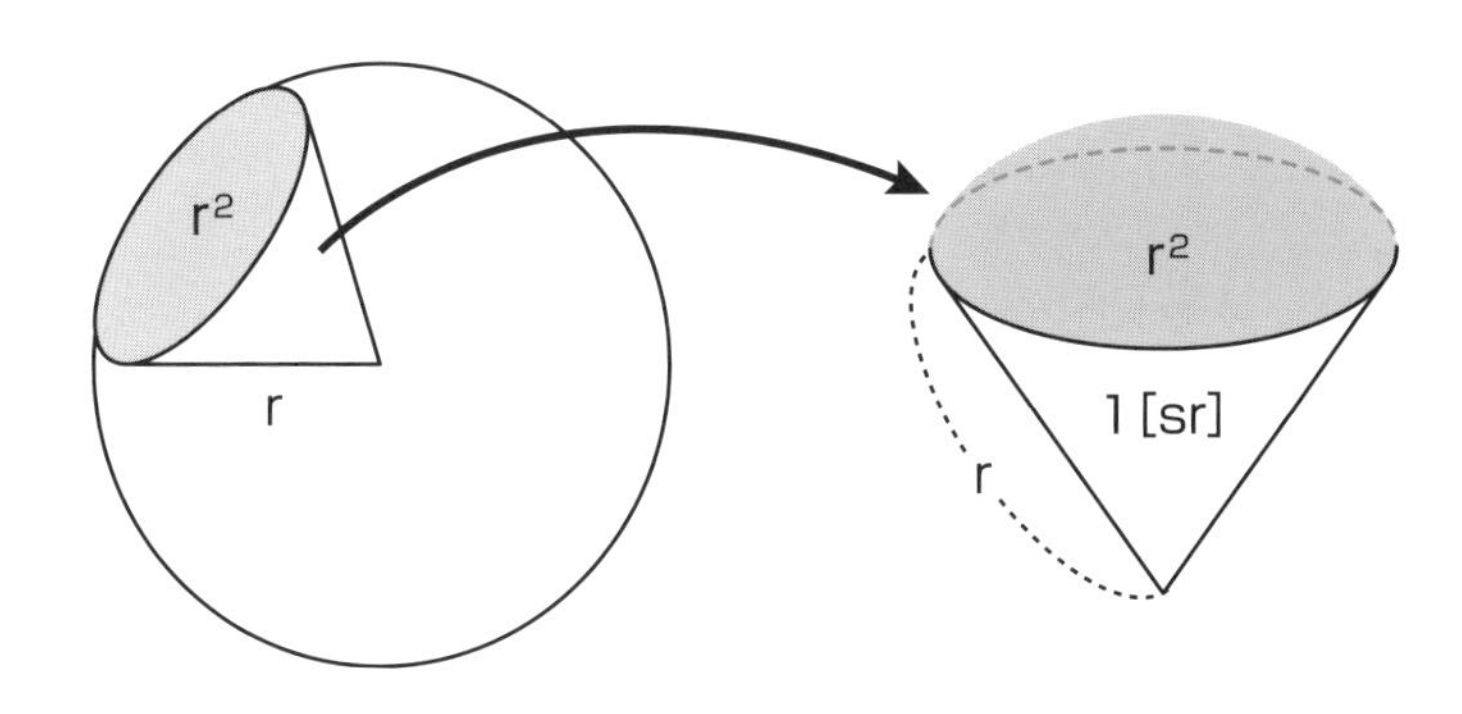

LEDランプが白熱電灯や蛍光灯より経済的だと言うのは、同じ光束を得るために消費する電力(W)が少ないからです。照明器具の効率、経済性はlm/Wによって計るのが賢明です。

④照度(ルクス lx)

明るい日中でも、日向と日陰では明るさが違います。しかし、日向でも、日陰でも、太陽の光そのものに違いはありません。すなわち、私たちが欲しいのは太陽そのものの明るさではなく、仕事をしている私たちの手元の明るさなのです。それを表すのが照度、ルクスです。

これまでに見てきた光の単位、光度、輝度、光束は全て「光源が光を放つ強度」を表したものでした。しかし照度は光源の明るさとは関係なく、観察者の目にどれだけの光、明るさが届いているかという、「実質的な明るさ」を表す単位なのです。

・ルクスの定義

「1平方メートルの面が1ルーメンの光束で照らされるときの照度」です。

明るいか暗いかは、生活や仕事の能率に大きく影響します。特に机の上の照度は大切でＪＩＳ規格では７５０ルクスを推奨しています。ちなみに蛍光灯で照明されたオフィスは４００～５００ルクス、百貨店の売り場が５００～７００ルクス、パチンコ店内は１０００ルクスほどあります。晴天時の真昼の太陽光は10万ルクス、月明かりは０・２ルクスほどです。

実際に自分の机やパソコンの照度、鉛筆で字を書くときの書面の照度を測定してみてはいかがでしょうか。意外と仕事の能率の向上につながるかもしれません。

速度

風速、音速、光速、あるいは新幹線の速度など、私たちの周りには速度に関する情報がたくさんあります。速度とは物体などが単位時間に移動する距離のことを言います。速度を表す単位はたくさんあります。

直線速度

直線上を動く物体の速度です。

① 基本単位：秒速(m/s)・時速(m/h)
速度の基本単位は秒速、すなわち1秒間（s）に何メートル（m）移動したかです。

- 秒速＝m/s
- 時速m/h＝360・秒速

時速は1時間に何メートル移動したかですから、単に秒速を360倍すればよいだけです。

台風の風速は秒速で表しますが移動速度は時速です。秒速を時速に換えるには秒速に360を掛ければ良いのですが、それが面倒なら、秒速に4を掛けて、㎞で読み替えれば時速に近い値になります。つまり、秒速30ｍなら時速は30×4＝120㎞です。正確にはその値から1割（12㎞）を引いた108㎞となります。

② ノット（kn、kt）

ノットは船の速度を表す単位ですが、それは1時間に何海里移動したかを表す単位です。1海里は1852ｍですから次のようになります。

- **1ノット＝1海里／時間＝1852m/h**

ノットは結び目、knotから来ています。つまり昔はロープに6フィートごとに結び目をつくり、先端にブイをつけたロープを海に流し、30秒間に繰り出す結び目の数で船の速さを計算したと言います。その名残が現在のノットになりました。

③ マッハ（速度／音速）

マッハは音速を単位とした速度、すなわち相対速度です。したがって基準は音速です。

・1マッハ＝音速と等速

ところが、この音速がハッキリしません。地上と高空では音速は違います。海面上では時速1225㎞、成層圏では1060㎞です。つまり、速度を測定する航空機が成層圏を飛んでいれば時速1060㎞で1マッハとなりますが、海面上を時速1060㎞で飛んでも1マッハにはならないのです。

回転の速度

車輪などのように回転する物体の回転速度を表すには、単位時間当たりの回転数を表す方法と、回転した角度を表す方法があります。

・回転速度（r/min、rpm）

回転するものが1分間に回転した回数。回転速度の定義はこのように単純明快です。よく使われるのはレコード盤の回転数で、昔は60rpmのsp盤、33rpmのLP盤などがありました。ちなみにCDの回転速度は一定ではありません。周辺部は速く、中心部は遅くなっています。こうすることによってヘッドが記録面(溝)をたどる速度がほぼ一定(1・2〜1・4m/s)になるのです。

・角速度(rad/s)

角速度の定義は回転する物体の回転速度をラジアン(角度)で表したものです。1ラジアンとは円の半径に等しい「長さの円周」が中心に対する角度です。60度ではありません。

加速度・重力加速度

単位時間に速度が変化する割合を表す尺度を加速度といいます。例えば、停車していた電車は動き出すと速度を徐々に速め、10秒後には時速36㎞に達しています。この間、電車の速度は初めの時速0㎞から時速36㎞に変化しています。この間の速度変化が加速度です。

直線加速度(m/s^2)

先の例における電車の加速度を求めてみましょう。

時速36㎞は秒速に直すと36000/3600=10(m/s)です。したがって加速度α=(10m/s)/10s=1m/s^2となります。毎秒1cm/s^2の加速度を1ガルと言います。メートルに直すと「1ガル=0.01m/s^2」です。したがって次に見る重力加速度は

g/0.01＝g×100＝980.665（ガル）となります。

☑重力加速度（g）

電車が止まっている時、乗車中の私たちは何の力も感じませんが、走り出すと進行方向と反対側に押し付けられる力を感じます。しかし、電車の速度が一定になると力を感じなくなります。このように、力を感じるのは速度が変化する、すなわち加速度が働いている間だけであり、加速度が無くなると力は感じません。つまり、加速度が生じると言うことと、力を受けると言うことは同じなのです。

地球上にある全ての物体には引力が働いて地球に押し付けています。引力は力ですから、引力の働いている物体には加速度が働いていることになります。この加速度を重力加速度gと言います。gの大きさは観測によってg＝9・80665 m/s^2 となっています。例として東京タワーの先端から物体を落とした時、1秒後、5秒後の物体の速度はどのようになっているかを求めてみましょう。簡単です「1秒後（9・80665 m/s^2）×（1s）＝約9・8（m/s）、5秒後 g×5s＝約49（m/s）」です。

SECTION 28

力

力という言葉が何を意味するのかは、なかなか難しい問題です。しかし力学では、力は「物体の質量と加速度の積」と明瞭に定義されています。

・$F=ma$

したがって、加速度が働く所には力が発生しているのであり、力が働いているところには加速度が働いています。つまり、加速度の働かないところには、力は働いていないのです。力の単位としてはニュートンとダインがあります。

① ニュートン（N）

力の量的な定義は「1kgの物体に働くとき、その方向に$1m/s^2$の加速度を与える力の大きさを1N（ニュートン）とする」、というものです。したがって次のとおりとなります。

- $1N = 1kg \cdot m/s^2$

② ダイン(dyn)

ニュートンはmks単位です。それをcgs単位に翻訳したのがダインです。したがってダインとニュートンの関係は次式になります。

- $1dyn = 1g \cdot cm/s^2 = 10^{-3}kg/10^{-2}m/s^2 = 10^{-5}N = 10\mu N$(マイクロニュートン)
- $1N = 10^5 dyn$ = 10万ダイン

③ キログラム重(kgf)

質量に重力加速度gをかけたものは力になります。つまり質量1kgの物体は、次のとおりとなります。

- $1kgF = 1kg \times 9.8m/s^2 = 9.8N$

電気

電流は電子の流れです。電子がA地点からB地点に移動したとき、電流はBからAに流れたと定義されます。

電気に関してはいろいろの値、単位がありますが、基本的なものは電気抵抗(R、単位Ω)であり、生活に結び付いたものとして電流(I、単位A)、電圧(V、単位V)、電力(W、単位W)が基本的なものです。

電気は川を流れる水のようなものです。それに例えれば、電流は単位時間に流れる水の量です。電圧は水を流す力、すなわち川の高低差、電力はその水が行う仕事です。

電気抵抗(R)、電気抵抗率(ρ)、電気伝導率(S)

物質には電気が流れる(電子が移動する)ことに抵抗する力があります。そのような力を表す尺度が低効率、抵抗値、伝導率です。

① 電気抵抗率（記号ρ（ロー）、単位Ωm（オーム・メートル））

物質が性質として持つ、電気の流れに逆らう力を電気抵抗率（ρ）と言います。単位はΩmです。電気抵抗率には物質中に存在する自由電子の密度が大きく影響し、密度が高ければ低効率は減少し、自由電子密度＝0ならば完全な絶縁体となります。

金属は金属結合のおかげで自由電子がたくさんあるので電気の良導体です。それに対して有機物は共有結合でできているので自由電子が存在せず、そのため絶縁体です。

② 電気抵抗（記号R、単位Ω（オーム））

実際の物質が電流に逆らう力を電気抵抗、あるいは電気抵抗値（R）と言います。電気抵抗値は物体の電気抵抗率ρと物体の長さLに比例し、断面積Aに反比例します。

- **電気抵抗**　R＝ρL/A

また、抵抗値と電圧V、電流Iの間には次式が成立します。

- **I（電流）＝V（電圧）/R（抵抗）**

③ 電気伝導率（記号σ（シグマ）、単位$\Omega^{-1}\cdot m^{-1}$）

物質が持つ電気を流す際の流しやすさの程度を表します。電気抵抗率の逆数として定義されます。

- $\sigma = 1/\rho$

☑ 電流（記号I、単位A（アンペア））

電流の定義はややこしいです。つまり、「真空中に1mの間隔で平行に配置された、無限に小さい円形断面積を有する無限に長い2本の直線状導体のそれぞれを流れ、これら導体の長さ1mにつき2×10^{-7}N（ニュートン）の力を及ぼし合う一定の電流」です。

2本の導線に電流を流すと、その電流が同じ向きの場合には導線の間に引力が働き、反対向きの場合には斥力が働きます。そしてこれらの力は電流に比例します。この定義は、この引力から電流を定義しようというものですから、何やら逆の事をしているような感じです。

現在学会で、電流のより合理的な定義を検討しているところですから、早晩もう少しわかりやすい定義になるでしょう。

電圧(記号V、単位V(ボルト))

電圧の定義は次のようなものです。「1Aの直流電流が流れる導体の2点間において消費される電力が1Wであるとき、その2点間の直流の電圧を1Vとする」と言うものです。

電圧は電池の電圧、家庭に来る電気の電圧としておなじみです。電池の電圧は、乾電池＝1・5V、リチウムイオン電池＝3・7V、鉛蓄電池＝2Vなどです。家庭に来る電圧は一般的に100Vと200Vですが、コンセントにくる電圧は100Vとなっています。

電力(記号W、W(ワット))

この定義とジュールの法則から電力が導き出されます。導線に電流が流れるとジュール熱が発生します。その発熱量Wは、導線の電気抵抗をRとすると次式で与えられます。

- **W(電力)＝R(抵抗) I(電流)^2**

オームの法則は次式を意味します。

- **I＝V/R**

この式を変形するとV＝IRとなりますから、先の式は次の式となります。

- **W(電力)＝V(電圧)・I(電流)**

つまり、電力W、電圧V、電流Iの間には、この関係があるのです。

☑ 電力料金

電力は電気料金の算出の基礎となっています。消費電力はワットWであり、消費電力量はWに使用時間量hを掛けたWh(ワットアワー)で算出されます。100Wの白熱電球を1時間点灯すれば消費電力量は100×1＝100(Wh)となります。

☑ 電流とブレーカー

家庭の電源にはブレーカーが付いており、契約量より大量の電流が流れるとブレーカーが落ちて電流が流れないようになっています。家庭の電気器具は100Vで稼働しますから、500Wの器具なら5A、1kWの器具なら10Aの電流が流れます。契約量以上の電流が流れないように注意する必要があります。

ブレーカーは電流量Iによって動きます。100V、1kWのエアコンを使ってブレーカーが落ちた場合には、100(V)×10(A)=1(kW)で、10Aの電流でブレーカーが働いたのです。このような場合には、200V仕様の1kWエアコンを使えばブレーカーは落ちないことになります。つまり200Vなら200×5=1kWとなり、ワット数(エアコンの能力)は同じでも電流量は半分の5Aしか流れないことになるのです。

磁気

磁気は磁石の持つ性質や、磁石に吸い着く物質に現れる性質です。磁石の性質の強弱は磁束で表すことができます。

磁束

磁石にはS極とN極があります。磁石の効果には方向があり、それは南極から北極に向かうと定義されています。磁石の効果が働いている空間を「磁界」と言います。

●磁束

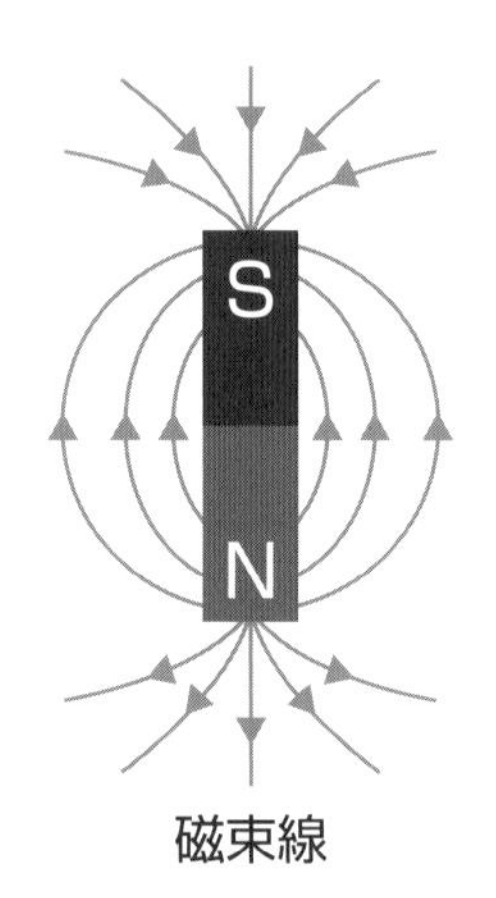

磁束線

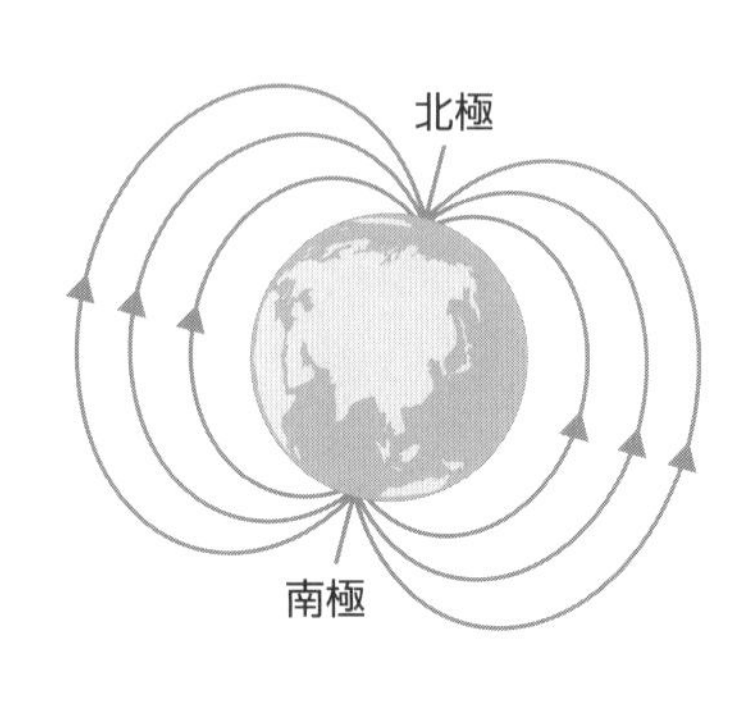

地球の磁束線

磁石の強さや磁界の方向は「磁束線（じそくせん）」で表されます。磁束線は次に見る単位（1Wb）を1本とした線で書き表した物です。したがって磁束線が多いほど強い磁界と言うことになります。しかし磁束線は架空の線であり、その1本1本は見ることも測定することもできません。磁束線が束ねられた物を「磁束」といいます。

① 定義

磁束とは空間内の曲面を通り抜ける磁場の流れです。流線に相当するものは磁束線と呼ばれます。つまり磁束数は磁荷量と同じになります。

磁束は曲面を貫く磁束線の本数に比例します。磁束の起点や終点は磁気単極子ですが、実はそのような物は存在しません。したがって磁束には起点や終点がなく、磁束線は閉曲線です。

- 磁荷[Wb]からは[Wb]本の磁束が出る
- （磁束Φ）＝（磁束線の総本数）＝（磁束密度B）×（面積S）

☑ウェーバ（Wb）

ウェーバは磁石の磁束を表す単位です。ファラデーの電磁誘導の法則によって、コイルを貫く磁束が変化すると回路に起電力（誘導起電力）が生じますが、その誘導起電力の大きさは磁束の変化する速さに比例します。

そこで、磁束変化とそれによる起電力の関係を次のように定義しました。「1秒あたり1ウェーバの磁束の変化は、1ボルトの起電力を生ずる」です。これを基にウェーバは次のように定義されます。「一秒間で消滅する割合で減少するときにこれと交差する一回巻きの閉回路に一ボルトの起電力を生じさせる磁束」です。式にすると次のようになります。

- $1Wb=1V \cdot s=10^8Mx$

以前は磁束の単位としてマクスウェル（Mx）が用いられていましたが、現在はウェーバに統一されています。マクスウェルとウェーバの関係は式の通りです。

☑磁束線・磁束密度　テスラ(B)、ガウス(G)

磁束密度Bと磁場の強さH[A/m]には以下の関係があります。

• B=μH(μ：透磁率)

透磁率とは物質の磁化のしやすさを表す値です。磁石はモーターなどの動力、リニア新幹線などの浮力、あるいはメモリーとして現代文明に欠かせません。その強度を表すのがテスラです。

磁石の強さは単位面積当たりの磁束の数、すなわち「磁束密度」で計られます。それを表す単位がテスラ(T)です。テスラは「磁束の方向に垂直な面の1m²につき、1Wbの磁束密度」と定義されます。式で書けば次式になります。

• 1T=1Web/m²=10⁴G

以前は磁束密度の単位としてガウス(G)が用いられていましたが、現在ではテスラに統一されています。

☑ 磁石の強弱

小供の頃に遊んだ馬蹄形の磁石から、最近のＭＲＩに使われる超伝導磁石、更には地球という巨大磁石まで、磁石は身近なものですが、その強さは意外と知られていません。いくつかの磁石の強度を磁束密度テスラで比較してみましょう。

- 10^{-18}……測定に成功した最小の値
- 10^{-12}……人間の脳
- 10^{-6}……赤道における地磁気の強さ
- 10^{-3}……メモなどを貼る磁石の強さ、太陽黒点の磁気
- ～１……一般的なスピーカーの磁石
- ～10……超伝導磁石（ＭＲＩ、リニアー新幹線）
- １０００……人工的に作り出した最強の磁石

（単位：テスラ）

Chapter. 6
化学の単位

原子番号・質量数

原子は雲でできた球のようなものです。中心には密度の高い原子核と呼ばれる微粒子があり、その周りを電子という微粒子からなる電子雲が取り巻いています。しかし原子核も単純な粒子ではなく、2種の微粒子からできた構造体と考えられています。

☑原子を構成する粒子

原子は原子核と電子雲からできています。電子雲を構成する電子eは、質量は無視できるほど小さい粒子ですがマイナス1単位の電荷を持っています。水素以外の原子には複数個の電子が存在し、電子雲を構成します。全ての化学反応は電子雲の働きによって起こります。

原子核構造

原子核Nは原子の中心にある高密度の微粒子であり、プラスの電荷を持ちます。原子核は陽子と中性子という2種の粒子からできています。

原子核も反応を起こしますがその反応は原子核反応と言い、電子の起こす化学反応とは違い、桁違いに大きな反応エネルギーを放出します。

- **陽子p………中性子とともに原子核を構成する微粒子です。1単位のプラス電荷と質量数1に相当する質量を持ちます。**
- **中性子n……質量数は陽子と同じですが、電荷は持たず、電気的に中性です。**

原子核の種類

原子核には多くの種類があり、それを区別する記号があります。。

① 原子番号Z

原子核を構成する陽子の個数を原子番号と言い、記号Zで表します。原子や元素には元素記号が付与されていますが、原子番号は元素記号の左下に添え字で書くことになっています。

• 例：$_{1}H$（水素、原子番号＝1）、$_{6}C$（炭素、原子番号＝6）

② 質量数A

原子核を構成する陽子と中性子の個数の和を質量数Aと言います。質量数は元素記号の左上に添え字で書きます。したがって丁寧に書く場合には、元素記号の左上に質量数A、左下に原子番号Zを上下に並べて書きます。

しかし、元素記号がわかれば、周期表から原子番号は自明ですから、多くの場合には原子番号を省略し、^{1}H（普通の水素（軽水素）、^{2}H（重水素、記号D）、^{3}H（三重水素、T）などと質量数だけを表記します。

③ 同位体

●原子番号と質量数

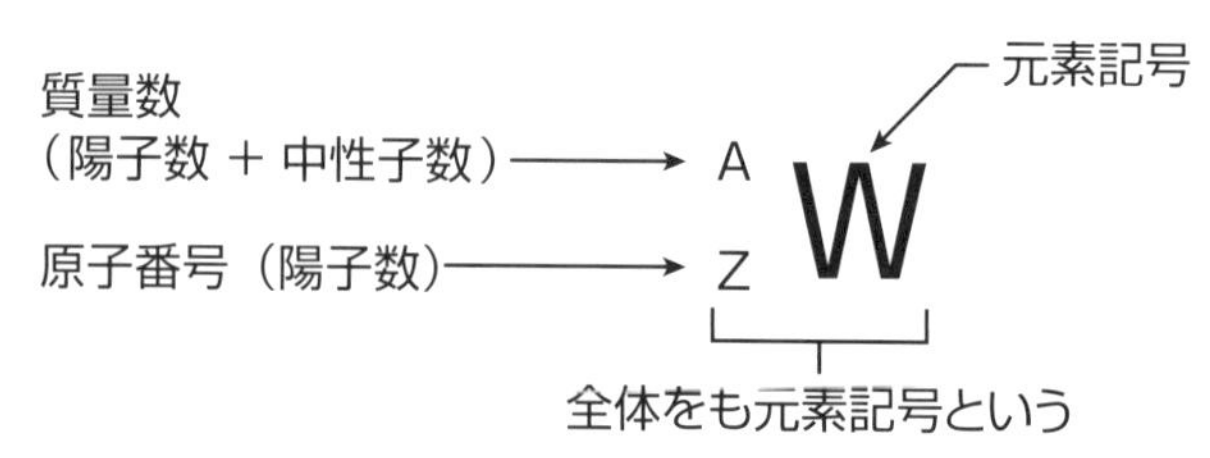

原子番号が同じ（陽子数が同じ）で、中性子数の異なる（質量数が異なる）原子を互いに同位体と言います。先の^{1}H、^{2}H、^{3}Hなどはその典型です。全ての原子は複数種類の同位体を持ちます。周期表に載っている元素の種類は人工元素まで含めて全部で118種類ですが、同位体の種類、すなわち原子の種類は2000種類以上あるとされています。そのうち変化しない安定同位体は260種類で、他の物は不安定な放射性同位体であり、各種の放射線を放出して変化し、最終的には安定同位体に落ち着きます。各同位体の割合を存在比と言いますが、多くの元素では各同位体の存在比は互いに大きく異なります。原子の化学反応性は電子雲によって支配されます。したがって電子数の等しい同位体は全て同じ化学反応性を示します。したがって同位体を化学的性質を利用して分離することはできません。遠心分離機などによって重さの違いを利用して分けることができるだけです。

④ 元素

原子番号が同じ原子の群を元素と言います。したがって水素元素と言った場合には^{1}H、^{2}H、^{3}H全てを言うことになります。

原子の電子構造

原子に属する電子は単に原子核の近くに群がっているわけではありません。各電子はそれぞれ固有の場所に収納されています。

電子殻

この収納場所を電子殻と言います。電子殻は球殻状の形をし、原子核の周囲に何層にもなって重なっています。各電子殻には名前が着いています。それは原子核に近い内側のものから順にK殻、L殻、M殻などと、アルファベットの

●電子殻

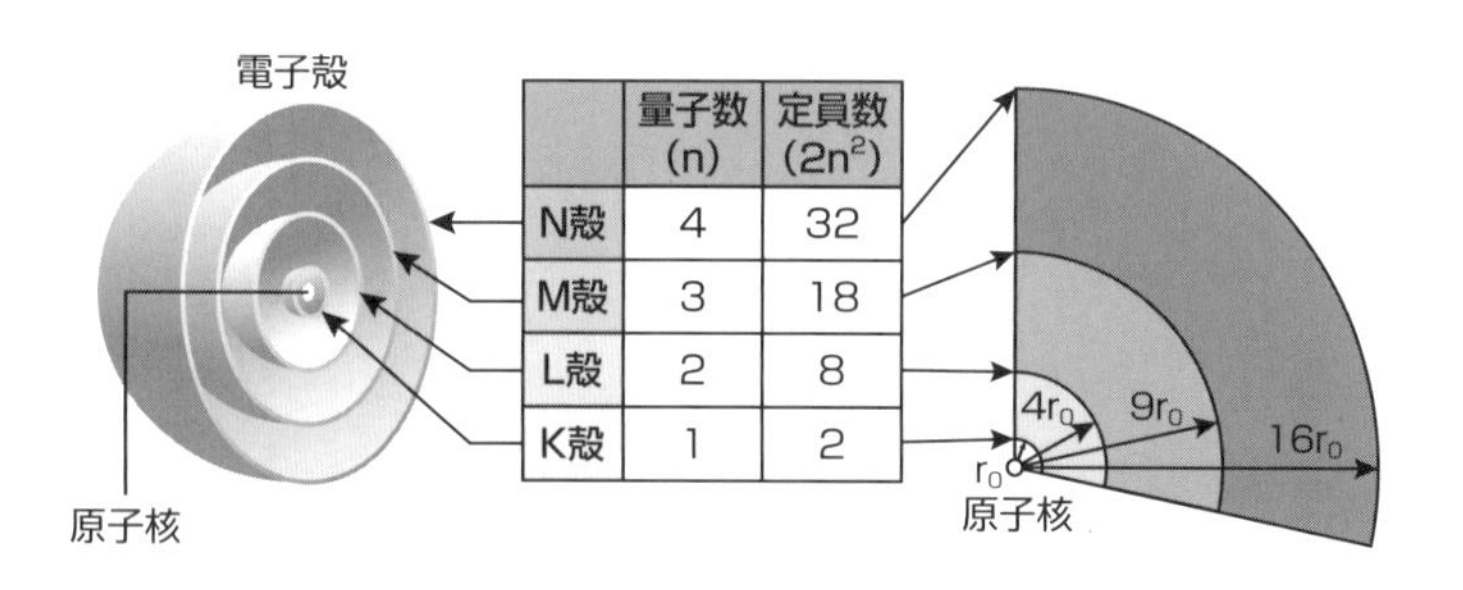

	量子数 (n)	定員数 ($2n^2$)
N殻	4	32
M殻	3	18
L殻	2	8
K殻	1	2

Kから始まる順になっています。

各電子殻にはK殻(1)、L殻(2)、M殻(3)などのように量子数と言われる整数が付随し、電子殻の性質はこの量子数によって規定されます。

- 収納定員……各電子殻には収納しうる電子の最大個数が定まっていますが、それはK殻(2個)、L殻(8個)、M殻(18個)などと、量子数をnとすると$2n^2$個となっています。
- 半径……電子殻の半径は量子数の2乗に比例して大きくなります。
- エネルギー……各電子殻は固有のエネルギーを持っており、それは原子核に近いK殻が最も低く、量子数の2乗に反比例して小さくなり、やがて0に収斂します。

☑ 軌道(s、p、d…)

電子殻は更に細かく分かれています。それが軌道です。軌道にはs軌道、p軌道、d軌道などいろいろの種類があります。それぞれの軌道は固有の形をしています。

①軌道エネルギー

電子殻と同様に軌道も固有のエネルギーを持っており、それは同じ電子殻に属する軌道なら、s＜p＜d…の順に高くなります。

各軌道が収容しうる電子の個数は一律に2個と定まっています。この結果、各電子殻の収容定員は前節で見た定員数に一致します。電子がどの軌道に配属されるかは電子配置の重要な点であり、この配属の様子によって原子の性質、反応性、結合様式が決定されます。

②用途

軌道は原子が結合して分子を作る時に重要な働きをします。例えば水素原子は、2個の原子が互いの1s軌道を重ねあわせ、新しく2個の原子核の周りを回る分子軌道を作ってそこに合計2個の電子を収容し、水素分子を作ります。このような結合を共有結合と言います。

原子量・分子量・モル

原子は物質ですから、有限の質量と有限の体積を持ちます。しかし、原子を構成する物のうち、電子の重さは無視できるほど小さく、原子の重さの99％以上は原子核の重さです。

☑原子核の構造

20世紀初頭には、原子構造は－電荷の電子と＋電荷の物体がブドウパンのように集まった物と考えられていました。原子の電子殻構造が明らかになったのは1910年以降であり、軌道構造が明らかになったのは量子化学が成立した1930年頃です。

中性子が発見されたのも1932年です。原子核の構造も長い事、陽子と中性子が混然と混ざった液体のような物と思われていました(液滴構造)。

最近ようやく、原子核にも構造らしいものがあることがわかってきました。しかし、その構造は原子の電子構造のようにクリアな物ではなく、液滴構造から少し抜け出したような状態といえるのではないでしょうか。

現在考えられている構造は殻（から）モデルとα粒子モデルです。前者は電子構造と同じように、核子（陽子、中性子）が殻あるいは軌道に収まっているという考えであり、後者は2個の陽子と2個の中性子からできたアルファ粒子が集まっていると考えるものです。

原子核に構造が有るのか無いのかはわかりませんが、もしあったとしても、その構造が明らかになるのはまだ先の話のようです。

原子量

原子にはウラン（Z＝92）のように原子番号の大きな原子もあれば、水素（Z＝1）のように小さな原子もあります。原子は物質ですから、有限の体積と質量を持っています。原子の質量を相対的に表す指標を原子量と言います。

① 定義

原子量の定義は次のものです。まず、炭素の同位体である^{12}Cの相対質量を12と定義します。次に各原子の同位体の相対質量を、^{12}Cを基準にして測定します。そして、各元素を構成する全同位体の相対質量の加重平均をとって、それを原子量とするのです。

したがって、水素Hのように^{1}Hの存在比が圧倒的に大きい元素では原子量はほぼ1になります。しかし臭素Brのように二種の同位体^{79}Brと^{81}Brがほぼ1：1で存在する元素では、原子量は両者の中間の約80となります。

② 原子量の性質

原子量は、簡単にいえば同位体の質量数の加重平均です。したがって同位体の存在比が変化すれば原子量も変化します。水素の同位体は地球上では^{1}H、^{2}H、^{3}Hの3種類しかありませんが宇宙には少なくとも7種類の同位体が存在するといいます。どこかの天体には^{7}Hや^{8}Hが存在するかもしれません。そこではHの原子量は地球上の原子量より大きいかもしれません。

地球でも常に原子核崩壊が起き、同位体の組成は変化しています。そのため、周期表に記載する原子量の値は隔年ごとに更新されています。

また、同じ元素でも、どこに存在するかによって原子量は異なる可能性があります。これは裏返せば、同位体の存在比を子細に検討すれば、その原子、しいては分子、物質がどこで採取されたかがわかることになり、犯罪捜査にも役立つ可能性があります。

③ ウランの同位体

ウランには^{235}Uと^{238}Uの同位体が存在しますが、その存在比は前者が0・7%、後者が99・3%です。ところが、原子炉の燃料となるのは^{235}Uだけです。ウランの可採年数は100年程度と言われますが、それは^{235}Uだけを用いた場合の計算です。ところが高速増殖炉は^{238}Uを燃料とすることができます。その場合、ウランの可採年数は一挙に100倍以上、つまり1万年以上になることになります。

☑ 分子量(MW)

原子に重さがあるように、原子が結合してできた分子にも重さがあります。分子を構成する全原子の原子量の総和を分子量といいます。

例えば水の場合には分子式はH_2Oですから、2個の水素原子H（原子量約1）と1個の酸素原子O（原子量約16）の原子量を足して1×2＋16＝18となります。

空気は単一分子ではないので、分子量は定義できませんが、混合物としてなら計算することができます。空気は窒素N_2（分子量＝28）と酸素O_2（分子量＝32）の体積比で4：1の混合物ですから、その平均分子量を求めると(28×4＋32)/5＝28.8となります。

メタンCH_4の分子量は16であり、空気28・8より軽いです。一方、プロパンC_3H_8は44であり、空気より重いです。つまり、台所で都市ガス（メタン）が漏れたら、漏れたガスは天井に溜まり、プロパンガスが漏れたら床に溜まることを意味します。

☑ モル

原子量や分子量の数値にg（グラム）を着けた質量の原子、分子の集団を1モルと呼びます。1モルの集団には原子、分子が6×10^{23}個存在しますが、この数字を発見者の名前を取ってアボガドロ数と言います。つまり、原子、分子のアボガドロ数（6×10^{23}）個だけの集団を1モルというのであり、これは鉛筆12本の集団を1ダースと言うのと全く同じことです。

なお、1モルの気体は気体の種類に限らず、全て同じ体積、つまり0℃、1気圧で22・4Lとなることが知られています。これは気体の体積と言われる空間の大部分は真空の体積であり、気体分子の体積は無視できるほど小さいことによるものです。

ただし重さは気体の種類によって異なり、22・4Lのメタンは16g、プロパンは44gというわけです。

濃度

溶液は二種の物質が溶けあった液体です。この際、溶かす物を溶媒、溶かされる物を溶質といいます。砂糖水なら、砂糖が溶質、水が溶媒です。溶質は固体、液体、気体、何でも結構です。溶質、溶媒共に液体の場合には多い方を溶媒と言います。

☑濃度の種類

溶液の中に溶けている溶質の割合を表す数値を濃度と言います。濃度にはいくつかの種類があります。

① 質量パーセント濃度

溶液中に含まれる溶質の質量をパーセントで表した濃度を、質量パーセント濃度と言います。

- **質量%濃度(%)=(溶質質量(g)/溶液質量(g))×100**

質量濃度10%の塩水1kgを作るには100gの塩を900グラムの水で溶かします。

② 体積パーセント濃度

溶液中に含まれる溶質の質量をパーセントで表した濃度を、質量パーセント濃度と言います。

- **体積%濃度(%)=(溶質体積(L)/溶液体積(L))×100**

体積濃度10%のアルコール水溶液を1L作るには、1Lのメスフラスコに100mLのアルコールを入れ、そこに水を加えて全体の体積を1Lにします。なぜこのようにするかというと、液体同士を混合すると体積が変化するので、100mLのアルコールに900mLの水を加えても、全体の体積は1Lにならないからです。液体の種類によっては1L以下になったり、1L以上になったりします。

日本では、体積パーセント濃度の単位を「度」として酒類のアルコール含量を示すのに使います。ビールなら7度(7%)、日本酒なら15度(15%)です。

③ モル濃度

溶液1L中に含まれる溶質のモル数を、モル濃度（単位：mol/L）といいます。

・**モル濃度（mol/L）＝溶質モル数（mol）／溶媒体積（L）**

1モル濃度の食塩水1Lを作るには、1モルの食塩（58・5g（Naの原子量＝23・0、Clの原子量＝35・5、故に塩NaClの分子量＝23・0＋35・5＝58・5）を1Lのメスフラスコに入れます。その後水を注ぎ入れ、丁度1Lにします。

④ 質量モル濃度

溶媒1kg中に含まれる溶質のモル数を、質量モル濃度（単位：mol/kg）と言います。

・**質量モル濃度（mol/kg）＝溶質モル数（mol）／溶媒質量（kg）**

●モル濃度

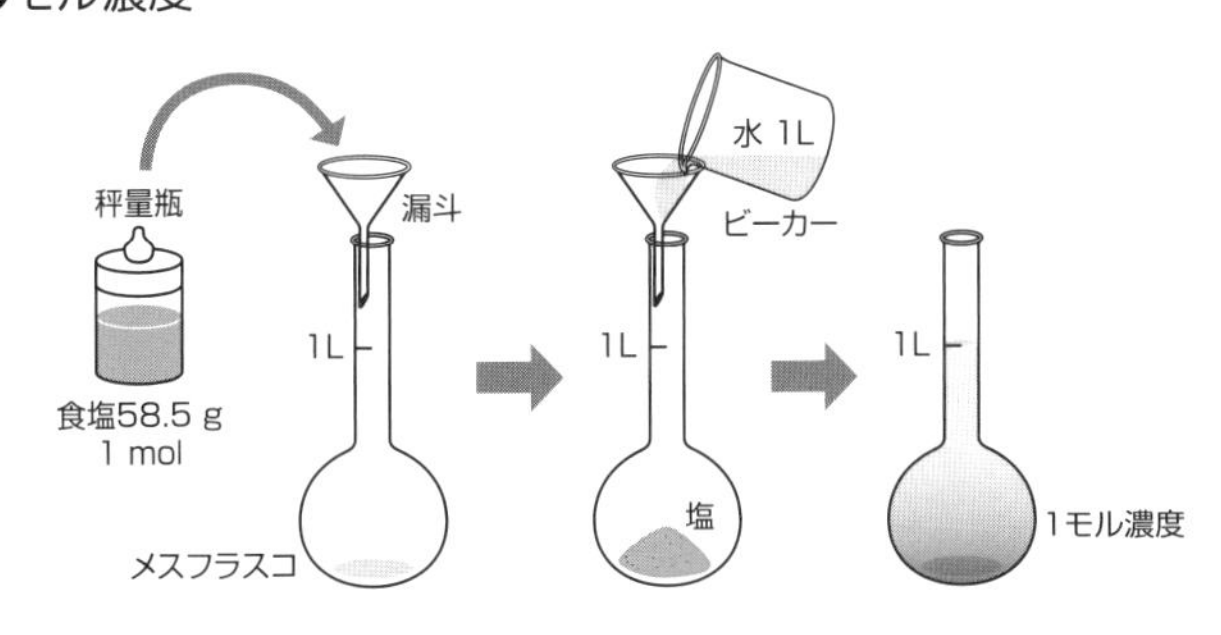

1質量モル濃度の食塩水をつくるには、58・5g(1モル)の食塩をビーカーに入れ、その後1kgの水を加えて溶かします。

⑤ **モル分率**

溶質のモル数を、溶質と溶媒のモル数の和で割った値をモル分率(単位：無名数)と言います。

・モル分率＝溶質モル数／(溶質モル数＋溶媒モル数)

0・1モル分率の食塩水を作るには、1モル(58・5g)の食塩を9モル(18×9＝162g)の水に溶かします。

●質量モル濃度

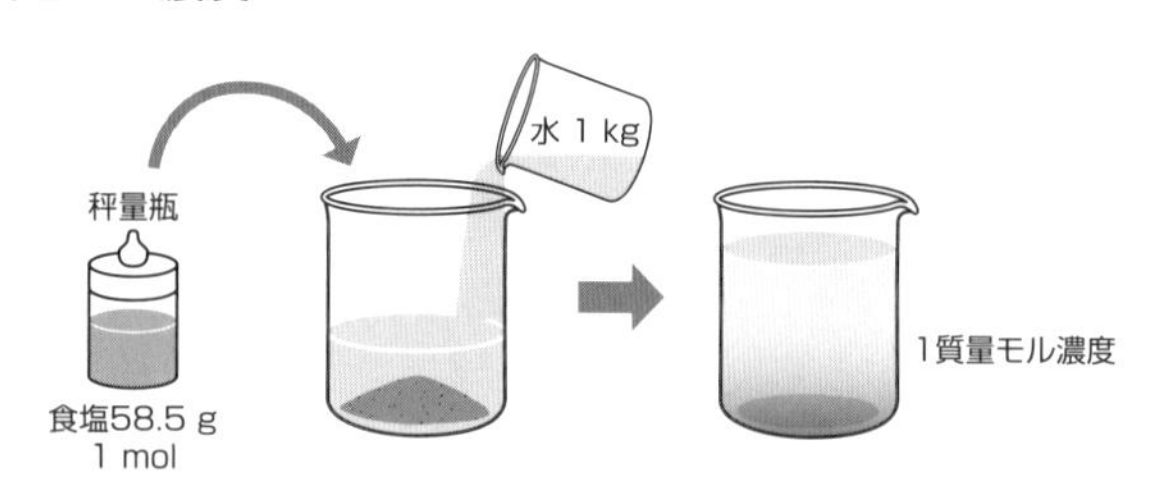

●モル分率

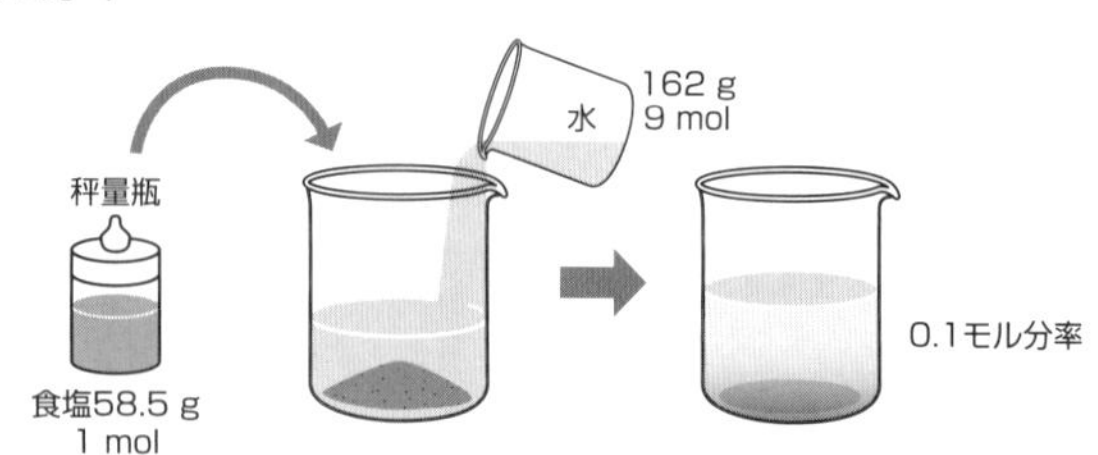

☑溶解度

食塩は水に溶けますが、バターは溶けません。溶質が溶けるかどうかは溶媒との相性によります。溶質がある溶媒にどの程度溶けるかを表した尺度を溶解度と言います。

①固体の溶解度

砂糖はお湯によく溶けますが、水にはそれほど溶けません。図Aは結晶性の物質が、ある温度において100gの水に何g溶けるかを表したものであり、溶解度の温度依存性を表すものです。

硝酸カリウムKNO_3の溶解度は温度の上昇と共に劇的に増加します。しかし塩化ナトリウム

●固体の溶解度（図A）

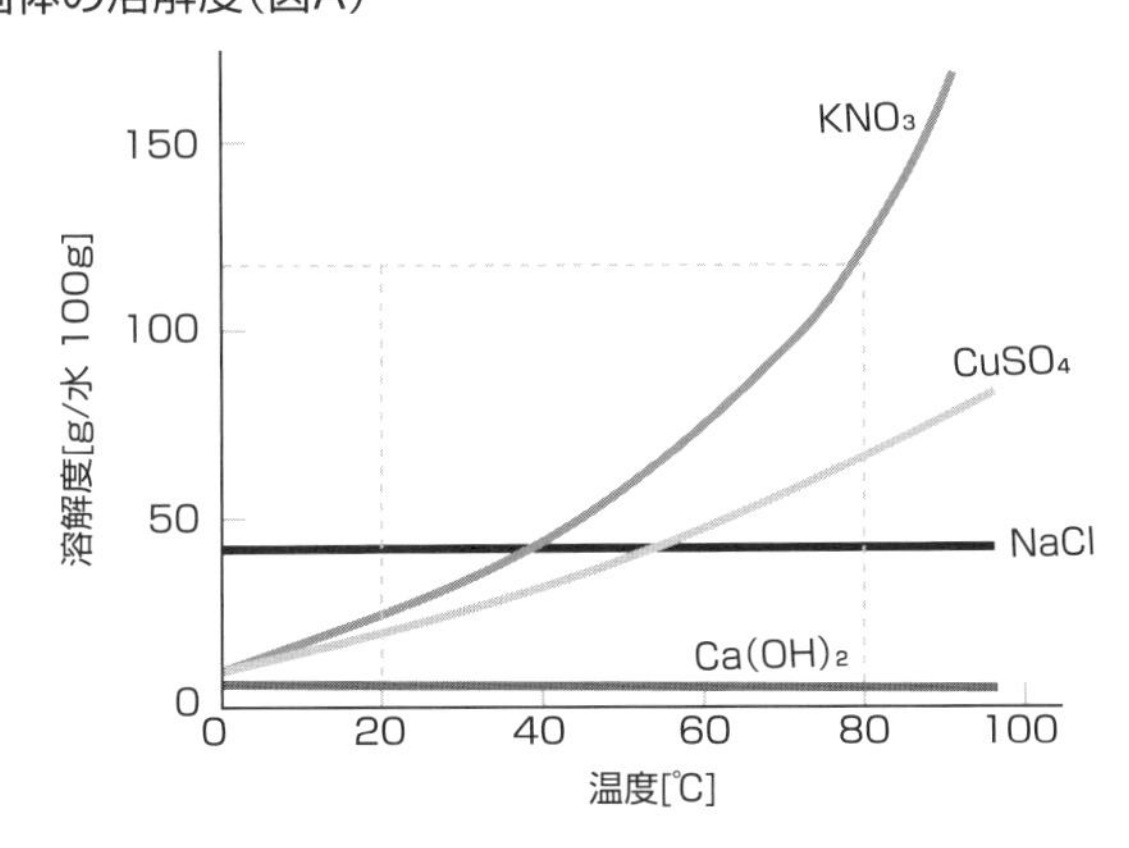

NaClの溶解度は温度が上昇してもほとんど変化しません。このように、溶解度の温度依存性は物質によって異なります。固体を溶かすには温度を高くすれば良いと思いがちですが、そうとは限らないのです。

② 気体の溶解度

図Bは気体の溶解度の温度変化を表したものです。結晶の場合と反対に、温度が高くなると溶解度は落ちています。

これは魚にとっては死活問題です。つまり、水温が高くなると、溶存空気、すなわち水中の酸素量が少なくなるのです。そのため、金魚鉢の金魚は空気中に顔を出して酸素を吸います。金魚鉢呑気にアクビをしているのではありません。

●1気圧で水1mLに溶ける気体の体積（図B）

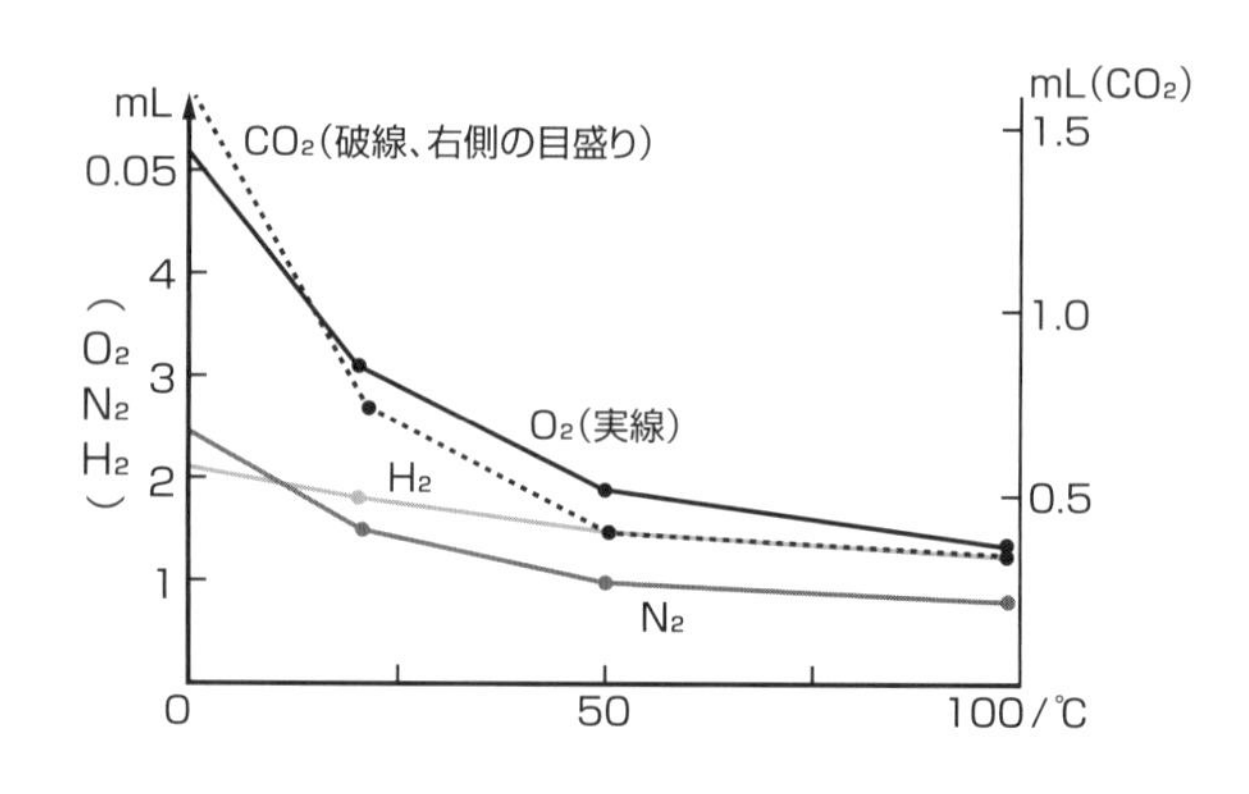

③ 二酸化炭素の溶解度

図Bには二酸化炭素CO_2の溶解度も示してあります。ただし、図の右側(二酸化炭素用)と左側(それ以外の気体用)の目盛を比べればわかるように、右側は左側の30倍ほどとなっています。これはそれだけ二酸化炭素は水に溶けやすいことを示しています。つまり、海水には膨大な量の二酸化炭素が溶けているのです。

ところが溶解度の温度変化を見ると、二酸化炭素の溶解度は水温上昇に伴って急激に落ちています。0℃から25℃の間に半減しています。

化石燃料を燃やすと温室効果ガスの二酸化炭素が発生して気温が上昇します。当然水温も上昇します。すると海水の二酸化炭素溶解度が落ちて、二酸化炭素が空気中に放出されます。すると温室効果が増大されて気温が上がります。するとまた二酸化炭素が放出されて気温が上がります。すると…ということで、負のスパイラルが始まってしまいます。

私たちはもうスパイラルの真っただ中にいるのかもしれません。カーボンフリーは人類にとって喫緊の課題なのかもしれません。

水素イオン指数

水溶液中にある水素イオンH^+と水酸化物イオンOH^-を比べて、H^+が多ければ酸性、OH^-が多ければ塩基性（アルカリ性）と言います。水溶液中に溶けているH^+の濃度を表す指標を水素イオン指数pHと言います。pH=7を中性、それより小さければ酸性、大きければ塩基性と言います。

水のイオン積

水は自分自身が次式のように分解し、H^+とOH^-を生じます。しかし両イオンの濃度の積は温度が一定なら常に一定です。K_Wを水のイオン積と言います。

- $[H^+][OH^-]=K_W=10^{-14}(mol/L)^2$

☑ pHの定義

pHは次の式で計算されます。

- $pH=-\log[H^+]$

水中には水素イオンH^+と水酸化物イオンOH^-が存在しますが、両者の積は水のイオン積で決まっているので、H^+かOH^-どちらかの濃度がわかればもう一方は自動的にわかることになります。そこでH^+の方を表示することにしたのが水素イオン指数pHです。

酸性でも塩基性でもない中性の状態ではH^+とOH^-の濃度は等しくなるので$[H^+]=[OH^-]=\sqrt{10^{-14}}=10^{-7}$(mol/L)となり、$pH=-\log 10^{-7}=7$となります。つまり、中性状態はpH=7なのです。

pHの定義式にはマイナス(－)が着いていますから、pHの値が大きくなれば$[H^+]$は小さくなって塩基性になり、pHが小さくなれば$[H^+]$は大きくなって酸性と言うことになります。また、定義式が対数ですから、pHの数値が1異なれば濃度は10倍異なります。

☑用途

pHから何がわかるかを見てみましょう。

①酸性雨

雨は空気中を落下する間に空気中の二酸化炭素CO_2を吸収します。CO_2は水と反応すると炭酸H_2CO_3という酸になるので、地球上の雨はいつでもどこでも酸性で、そのpHはおよそ5・5ほどです。

酸性雨というのはこれよりpHが低い、すなわち酸性の強い雨のことを言います。その原因は化石燃料の燃焼に伴って発生する窒素酸化物NOx（ノックス）や硫黄酸化物SOx（ソックス）と言われています。NOxは

●pHと酸性・塩基性

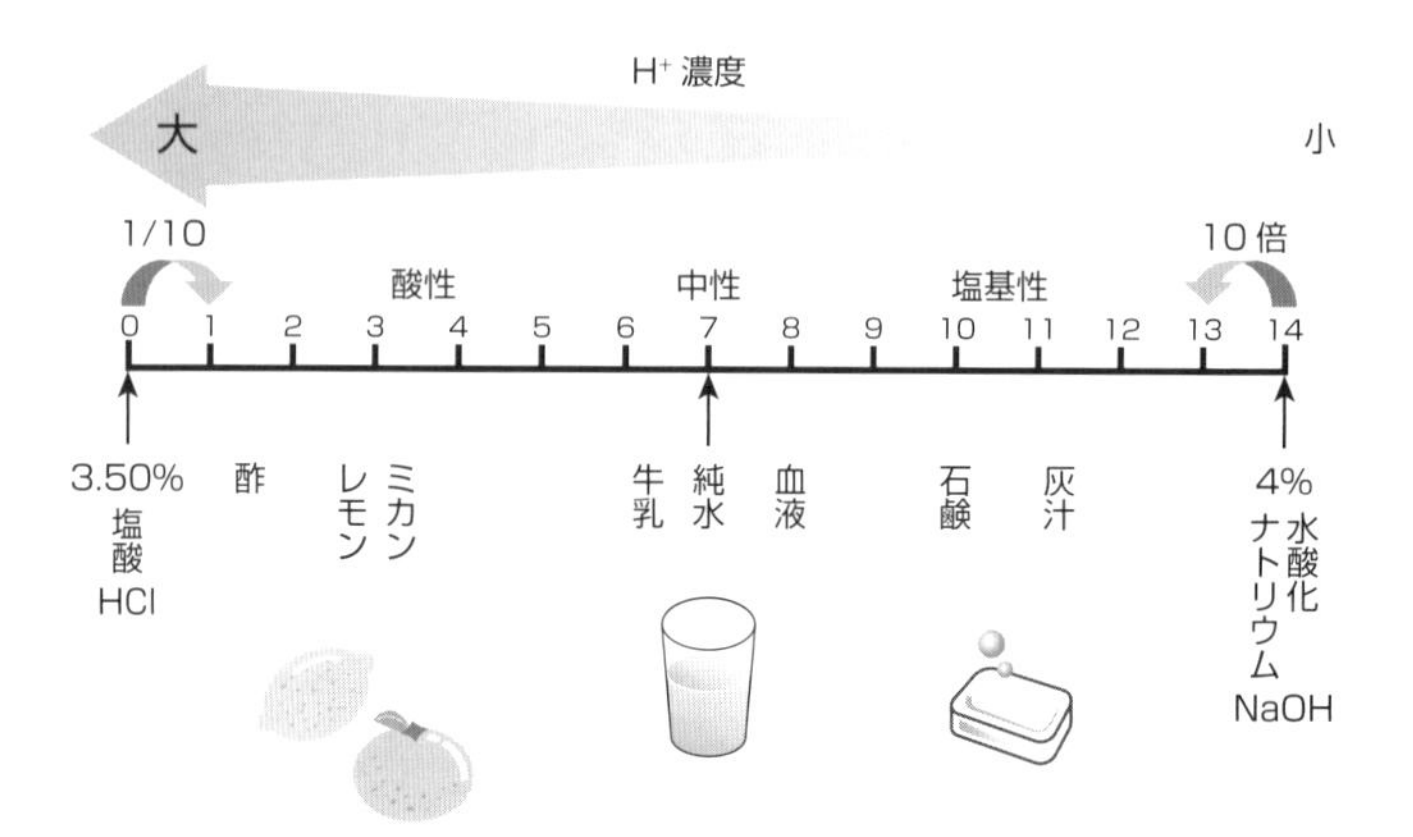

水に溶けると硝酸HNO_3のような強酸になり、SOxも硫酸H_2SO_4のような強酸になるからです。

② 温泉

温泉の源は地下水ですから、地下の鉱物(ミネラル)をたっぷり含んでいます。したがって酸性のものも塩基性のものもあります。よく「美人の湯」といわれるものは塩基性が強いようです。塩基性が強いと皮膚の角質が溶けて石鹸で洗ったようにヌルヌルになり、肌がきれいになったように思われます。そのため「肌美人」になるというわけです。

③ アジサイの花色

アジサイの花の色はアルミニウムイオンによるものと言われています。酸性だとアルミニウムが溶けやすいので花の色は青色、アルカリ性では溶けにくいので赤色になります。

致死量

毒は少量で人の命を奪う物質です。しかし毒には強い毒と弱い毒があります。命を落とすために必要な最小限の毒の量を致死量と言います。

サスペンスで有名な青酸カリ（正式名：シアン化カリウム）の経口致死量は150～300㎎と言われています。このような量をどうやって計ったのかについては、事故の例の積み重ねとしか言えません。

半数致死量

そこで、化学的な測定法は無いものかということから考案されたのが半数致死量 LD_{50} という指標です。これは、多くの検体（マウス）を用意して、全固体に少しずつ毒を飲ませ、その量を徐々に増やしていきます。量が少ない間は死ぬ検体は出てきませんが、量が増えるにつれて死ぬ検体が増え、ある量で、全検体の50％が死ぬことになります。この量をLD_{50}と言うのです。LD_{50}は体重1kg当たりで表示されるので、体重60kgの人はLD_{50}を60倍にすることが必要です。

LD_{50}は、これだけの量を飲むと、命を落とす確率が50％であるということを示す数値です。これだけ飲んだら死ぬ、という量ではありませんし、まして、ここまでは飲んでも大丈夫、などという量でもありません。

毒のランキング

表はいろいろの毒をそのLD_{50}の順、すなわち強さの順に並べたものです。いわば毒のランキ

●半数致死量LD_{50}

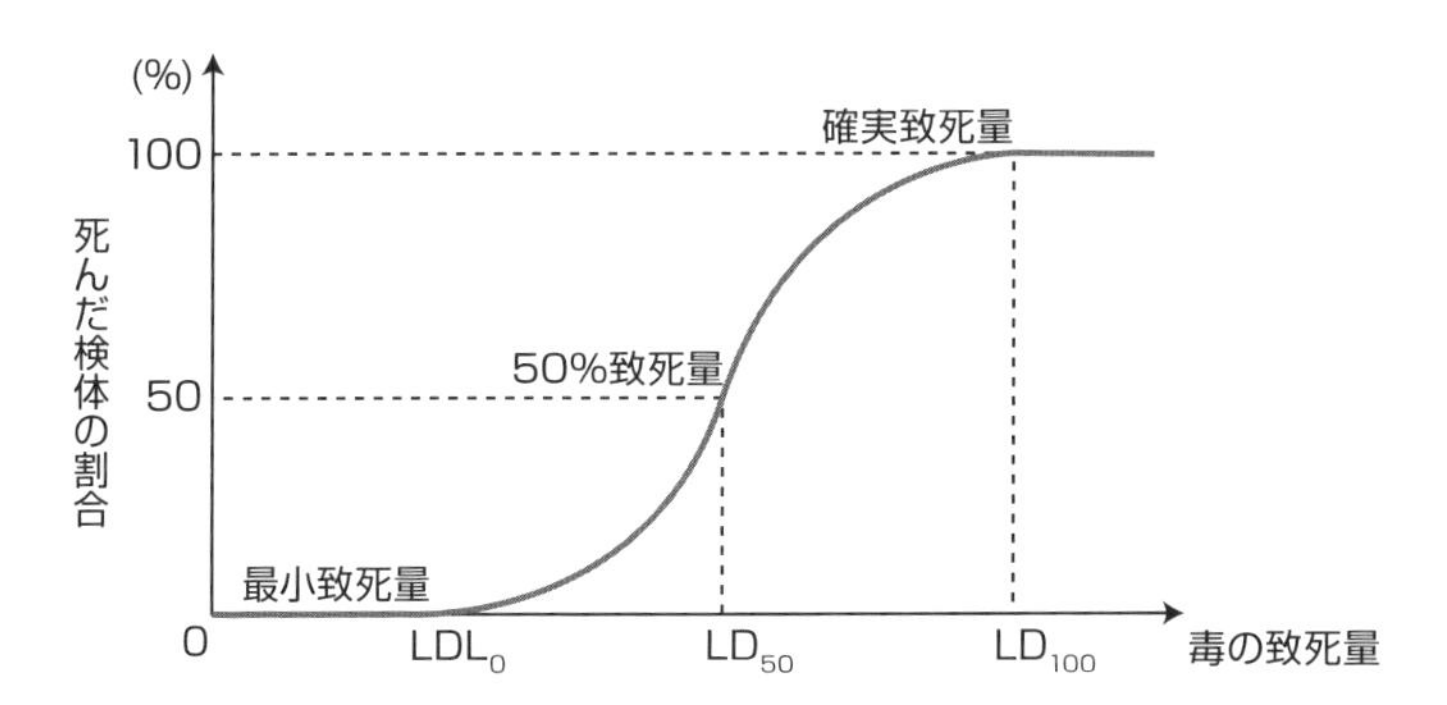

ングです。重さの単位はμg(マイクログラム)で1gの100万分の1です。

①強毒・暗殺毒

最強の2つ、ボツリヌストキシンは食中毒で有名なボツリヌス菌の出す毒であり、テタヌストキシンは破傷風菌の出す毒であり、共に微生物の作る毒です。次に強いのはリシンで、これはヒマシ油を取る植物、トウゴマの種子に含まれる毒です。酢酸タリウ

●毒の強さランキング

順位	毒の名前	致死量 LD_{50}(μg/kg)	由来
1	ボツリヌストキシン	0.0003	微生物
2	破傷風トキシン	0.002	微生物
3	リシン	0.1	植物(トウゴマ)
4	パリトキシン	0.5	微生物
5	バトラコトキシン	2	動物(ヤドクガエル)
6	テトロドトキシン(TTX)	10	動物(フグ) ／微生物
7	VX	15	化学合成
8	ダイオキシン	22	化学合成
9	d-ツボクラリン(d-Tc)	30	植物(クラーレ)
10	ウミヘビ毒	100	植物(ウミヘビ)
11	アコニチン	120	植物(トリカブト)
12	アマニチン	400	微生物(キノコ)
13	サリン	420	化学合成
14	コブラ毒	500	動物(コブラ)
15	フィゾスチグミン	640	植物(カラバル豆)
16	ストリキニーネ	960	植物(馬銭子)
17	ヒ素(As2O3)	1,430	鉱物
18	ニコチン	7,000	植物(タバコ)
19	青酸カリウム	10,000	KCN
20	ショウコウ	0.2～0.41(LD_0)	鉱物　$HgCl_2$
21	酢酸タリウム	35	鉱物　CH_3CO_2Tl

『図解雑学 毒の科学』船山信次著（ナツメ社、2003年）を一部改変

ムは最近、よく登場する毒です。殺人事件にも登場します。タリウムは1861年に発見された新しい金属で、ヨーロッパでは、昔の暗殺にはヒ素が用いられましたが、タリウム発見以降は専らタリウムが用いられたと言います。

VX、ダイオキシン、サリンは自然界には無い物質であり、人間が作り出した毒です。青酸カリも合成毒です。

②身の周りの毒

パリトキシンとテトロドトキシンは魚に含まれますが、共に、実際の生産者は魚ではなく、藻類やプランクトンなどの微生物です。青酸カリはサスペンスであまりに有名な毒ですが、そのLD$_{50}$を比べるとタバコのニコチンの方が強毒なことがわかります。ところで、何とか「トキシン」と言う語がよく出てきますが、トキシンは生物が分泌する毒のことを言います。すなわち、一般の毒ポイズンの部分群です。

最近話題になるのが毒キノコです。ここ数年の間に街中の公園などで急に目にするようになったのが赤い手の形をした不気味なキノコ、カエンタケです。これは親指の先ほどを食べただけで命を落とし、触っただけで炎症をおこすという猛毒です。

スギヒラタケは長い事、食用としてきたキノコですが、2010年頃に腎臓障害を持つ人が食べて急性脳症で中毒死しました。ところが、このニュースが新聞に流れた途端、あちこちでスギヒラタケ中毒が起こり、1年足らずの間に何人もの人が亡くなりました。これは、キノコが変わったせいではなく、保健所の制度が変わったせいでした。ちょうどこの頃、伝染病のSARSの発症例が増えたため急性脳症を保健所に届けることになったのです。そのため急性脳症の原因を調べることになったようなのです。以前に起きた中毒死は、キノコのせいではなく、他の「何か」のせいにされていたのでしょう。怖い話です。

放射能

キュリー夫妻が研究したことで良く知られるラジウムやポロニウムは「放射性物質」です。放射性物質は人間の命をも奪う危険な「放射線」を放出します。「放射能」とは放射線を放出する性質、能力のことをいいます。したがって、危険なのは放射線であり、放射能ではありません。

放射線の種類

放射線にもいくつかの種類があります。主なものを見てみましょう。

① α線

α線は高速で飛び回るヘリウムHeの原子核で、放射線の中で最も大きく重いものです。その上、電荷をもっていますから、まともに受けたら大変ですが、その分、防ぐのは簡単です。エネルギーにもよりますが、アルミ箔や皮膚でも防ぐことができると言われます。

② β線

電子の高速な流れです。物質を透過する力は強くは無いので、厚さ数㎜のアルミ板や厚さ1㎝ほどのプラスチック板で防御できると言われます。

③ γ線

α線とβ線は粒子ですが、γ線は電磁波です。紫外線やX線と同じもので、それよりはるかに高エネルギーで危険です。電磁波のため、透過力が強く、コンクリート、鉄、鉛などで防御する必要があります。鉛が最も有効ですが、それでも10㎝の厚さが必要と言われています。

④ 中性子線

中性子の高速な流れです。中性子はその名前の通り電気的に中性で電荷をもっていないので、全ての物質中を素通り自由です。遮蔽するのは非常に困難で、厚さ1m以上の鉛板が必要と言われます。ところが、水が有効に遮蔽してくれるので、使用済み核燃料など、中性子線を出す放射性物質は冷却も兼ねて水の入ったプール中に保管されます。

☑ 放射線の危険度

放射性物質は放射線を放出しますが、放射線の量(一般に言う放射能の強さ)は放射性物質の種類や量によって変わります。放射線の量はどのようにして表すのでしょう?

① 放射線量(ベクレル)

これは1秒間に何個の放射線が放出されるかを表した数値です。1秒間に1個の放射線が放出されるときを1ベクレルと言います。したがって放射線の種類やエネルギーは、この数値には関係しません。

② 吸収線量（グレイ）

生体に吸収された放射線のエネルギー量を表す数値です。1J/kgのエネルギーが吸収された時を1グレイと言います。したがってこれも放射線の種類に関しては何も言いません。

③ 線量当量（シーベルト）

同じエネルギーの放射線でも、放射線の種類によって人体に大きなダメージを与えるものと、それほどではないものがあります。たとえば、α線とβ線を比べると、α線の方が20倍も有害です。

したがって、人体に対するダメージを測るためには、線吸収量（グレイ）と有害性を考え合わせる必要があります。このようにして求められた数値が線量等量と言われるもので、放射線の害を直接的に表す数値としてよく用いられるのです。

単位はシーベルトです。なお、シーベルトでは単位として大きすぎるので、実際にはそれの1000分の1のミリシーベルト、あるいはさらにその1000分の1のマイクロシーベルトを用います。

☑ 放射線の有害性

放射線はどれくらい有害なのでしょうか？　放射線が人間に与える害を測定することはできませんから、動物実験の結果だとかを基にして推定することになります。ですから、下の数値はおよそのもので、出典によって数値は動きます。

① 安全限界

その結果は下の表のようなものです。すなわち、100ミリシーベルト以下ではほとんど影響がみられません。これは線量当量が1ミリシーベルト／時間の放射線が照射されるところなら、100時間すなわち約4日間生活したとしても、医学的な影響は認められない、ということを意味します。

●放射線の影響

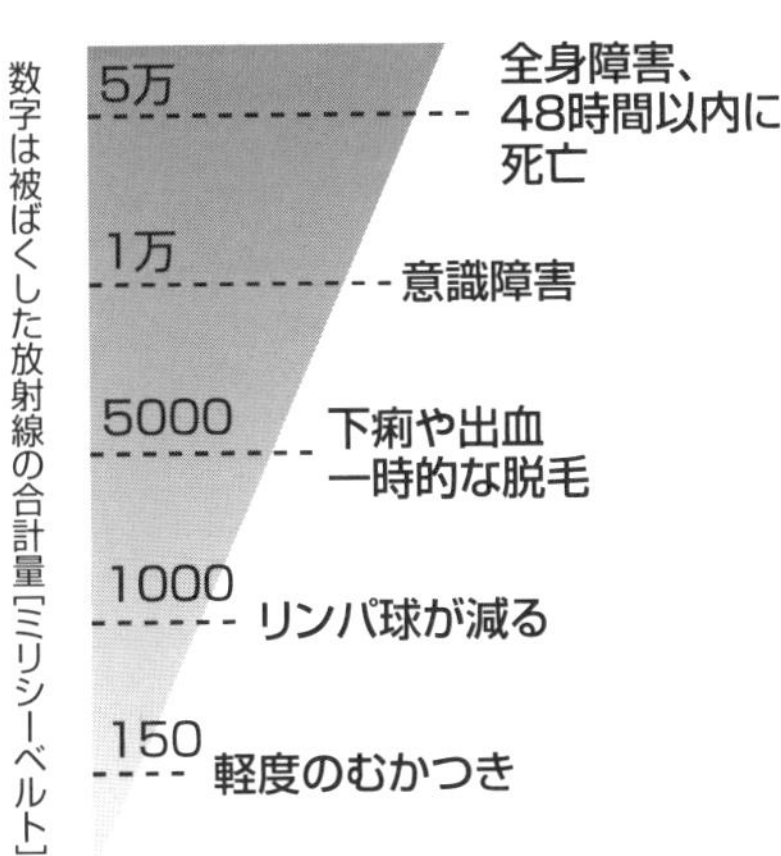

②害発生

しかし、被ばく量が150ミリシーベルトに達すると、むかつきを感じ始めると言います。そして、1000ミリシーベルト、すなわち1シーベルトに達すると、健康に害が出てきます。つまり、抹消血中のリンパ球が減少し始めます。リンパ球は免疫機構の中心になるものですから、リンパ球が減少したら免疫力が落ち、少しの感染病でも命取りになります。

③甚大な被害

5000ミリシーベルト、すなわち5シーベルトになると下痢や出血あるいは一時的な脱毛症状が出ます。かなり重症です。さらに増えて10シーベルトになると意識障害が出て、50シーベルトになったら全身障害が出て48時間以内に死亡と言います。

☑自然界の放射線

放射線は生体にとって非常に有害なものですが、実は自然界には放射線が満ちています。1人が1年間に受ける自然放射線の量は2・5ミリシーベルト程度と言われています。生命体はそのような放射線に耐えて進化してきたのです。すなわち、少なくとも地球上の生命体には放射線への少なからぬ耐性があるとみることもできます。

① 宇宙からの被ばく

地球には宇宙から飛んでくる宇宙線が降り注いでいます。これはγ線や中性子線が主なもので非常に有害ですが、大気、特に高空の成層圏にあるオゾン層が吸収してくれます。このオゾン層がフロン（炭素C、水素H、フッ素Fからできた人工分子）によって破壊され、南極上空にオゾン層の無い地点ができたというのが、一般にオゾンホールと言われる環境問題です。

●放射線の量

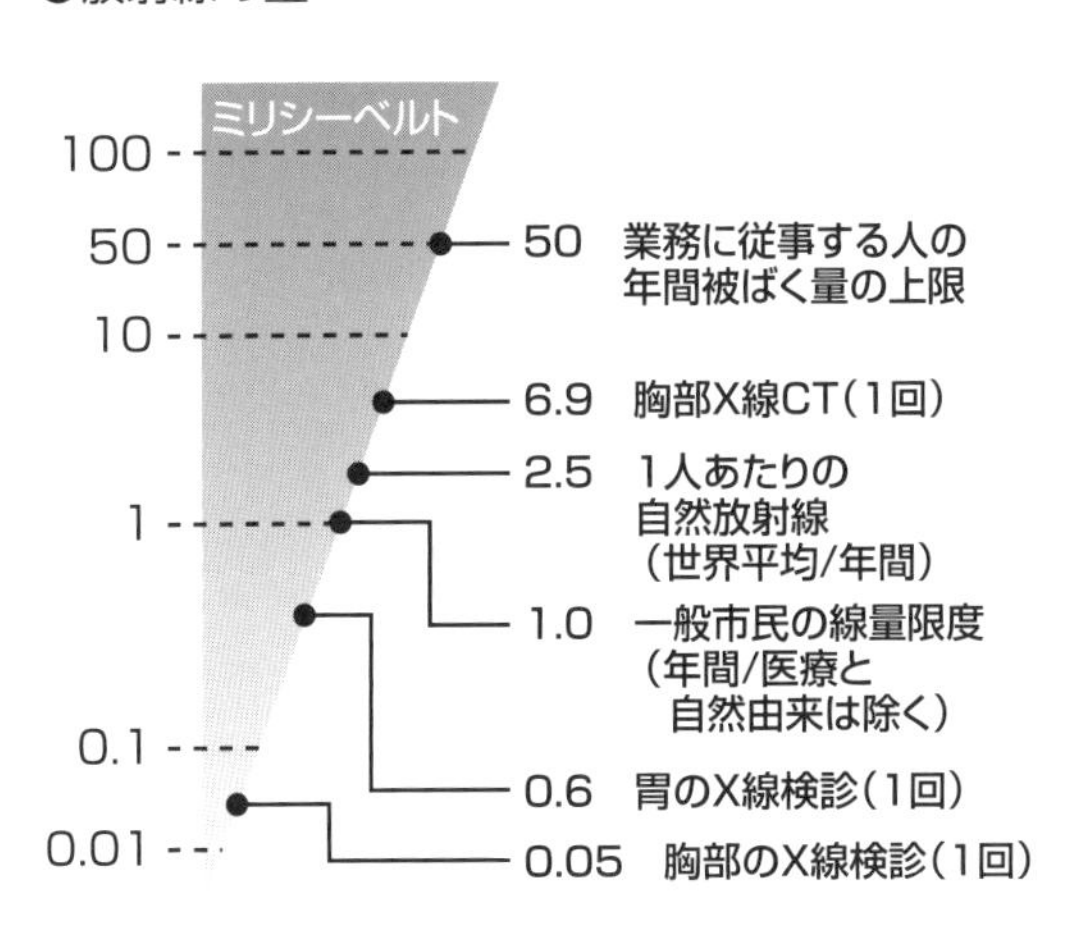

② 高空の宇宙線

高空になると大気が減って遮蔽物が無くなるため、宇宙線の強度は強くなります。その割合は1500m上昇するごとに約2倍になるといいますから、1万m上空を飛行する航空機では地上の100倍近い放射線があることになります。

③ 空気と食物の中の宇宙線

空気中にも放射線はあります。その起源はいろいろですが、一つは宇宙線が大気に衝突したことによって発生するものです。これには水素Hの一種である三重水素^{3}Hや炭素の同位体である炭素^{14}Cなどがあります。

これらの元素は空気中に漂っているほか、水素は水になり、炭素はいろいろの食物になって私たちの体内に入りますから、私たちは常に体内被曝に晒されていることになります。

Chapter. 7
日本の伝統的単位

日本の長さの単位

日本の伝統的計量法は「尺貫法」と言われ、長さの単位である「尺（しゃく）」と重さの単位である「貫（かん）」から成り立っています。

尺

尺の単位には曲尺（かねじゃく）と鯨尺（くじらじゃく）があり、それぞれの長さが異なっています。

- **曲尺……広く一般的に使われる単位　1尺＝30・30303㎝**
- **鯨尺……和裁に限って用いられる単位　1尺＝37・8788㎝**

すなわち、1鯨尺＝1・25曲尺、1曲尺＝0・8鯨尺の関係になります。

派生する単位

尺より長い距離を測るには町、里、短い場合には寸、分、厘などが用いられました。

- 1里（り）＝36町（ちょう）
- 1町＝60間（けん）
- 1丈（じょう）＝10尺
- 1間（けん）＝6尺
- 1尺（しゃく）＝10寸
- 1寸（すん）＝10分
- 1分（ぶ）＝10厘
- 1厘（りん）＝10毛
- 1毛（もう）＝1／10厘

尺以下の単位では、寸は長さ固有の単位ですが、それ以降は割合の単位であり、1／10ずつ、すなわち10進法の原理で小さくなる場合に共通の単位です。

大きな街に繋がる街道には、1里ごとに「一里塚（いちりづか）」と呼ばれる石製の標識が立っていました。一休和尚が読んだという「正月は冥土の旅の一里塚めでたくもありめでたくもなし」はこの標識を読んだものです。

単位・記号の由来

尺は人間の体に由来する身体尺の一種であり、尺は人間の尺骨（前腕骨）の長さに対応したものと考えられます。その意味では欧米のフィート（足）と同じ原理です。

①大尺・小尺

古来の日本には、高句麗（こうくり）から伝わった、単位長の短い「高句麗尺（こうくりしゃく）」と高麗から伝わった単位長の長い「高麗尺（こうらいしゃく）」がありました。日本が制度として尺貫法を定めたのは701年に発布された大宝律令です。この時、高句麗尺を「小尺（しょうしゃく）」、高麗尺を「大尺（だいしゃく）」として認めました。この大尺が後に呉服に用いる「呉服尺」となり、後の鯨尺となり、小尺が曲尺になったものと考えられます。しかしその後、律令制度が崩れると尺貫法も維持されることなく、長さの単位は地方、土地によってまちまちの物が使用されるようになりました。江戸時代には京都を中心に使われた「竹尺（享保尺）」と大阪を中心に使われた「鉄尺（又四郎尺）」が一般的でしたが、竹尺の方が鉄尺より4％ほど長かったと言われます。

② 折衷尺

この両者統一のきっかけを作ったのが日本全国を測量した伊能忠敬であり、彼は両者の平均を採った「折衷尺」で測量しました。後に明治政府が1875年に尺貫法を制定した時にはこの折衷尺を曲尺として採用しました。

尺貫法は、1958年に制定された計量法によって廃止され、それ以降はメートル法に改正されました。

尺貫法の現在

尺貫法は、建築、裁縫などの伝統的分野での使用が例外として認められ、現在も限定された分野で使われています。神社仏閣はもとより、古い日本建築は曲尺の単位で作られています。曲尺は大工が使う金属製の物指であり、金属でできていたことに由来する名前です。一方鯨尺は和裁に使う物指が弾力性のある鬚鯨(ひげくじら)の鬚からできていたことに由来すると言われます。鯨尺は東北や北海道には普及せず、特に北海道では和裁でも専ら曲尺が用いられました。一寸法師は背の高さが1寸しかありませんが、この場合の1寸は曲尺の1寸です。

特殊な単位

尺貫法には組み込まれていませんが、一般的に使われる長さの単位に反(たん)、疋(ひき)、尋(ひろ)(じん)があります。これらの単位には明確な定義がありませんが、それぞれの分野で今も根強く残っている不思議な単位です。

① 尋(ひろ)

両手を広げた長さを指すので、身長とほぼ同じです。主に水深を計る尺度であり、普通は1尋＝6尺ですが、5尺とする時もあります。船釣りで釣竿を用いず、釣り糸を直接手に持って釣る（脈釣り）場合には、水中に入れた糸の長さを計るのに便利であり、釣りではよく用いられます。古代の中国では尋のほかに、その2倍に相当する常という単位があり、両方をまとめた「尋常」はわずかばかりの土地という意味から、普通という意味になったと言われます。

② 反

1着の和服を作るのに必要とされる生地の長さであり、呉服業界では通常「1反＝鯨尺の3丈」とし、この長さの生地を3丈物と言います。しかし振袖など特に多くの布地を用いる場合には「1反＝4丈」とし、4丈物とします。

③ 疋

疋＝2反、したがって3丈物の1疋は6丈となり、4丈物の1疋は8丈となります。しかし江戸時代には「1疋＝曲尺で8丈」と定められていました。八丈島で織られる黄色く染めた紬織「黄八丈」はこの名残であるとの説もあります。

日本の面積の単位

日本の伝統的な面積単位にもいろいろのものがあります。大きさの順に並べます。

一般的な単位

- 勺（しゃく）＝０・０３３０５８㎡（体積の単位の勺とは別）
- 合（ごう）＝10勺＝０・３３０５８㎡（体積の単位の合とは別）
- 坪（つぼ）・歩（ぶ）＝10合＝３・３０５７９㎡。畳２枚の面積に近い。
- 畝（せ）＝30坪＝９・１７３５５㎡
- 段・反（たん）＝10畝＝９９１・７３５５㎡
- 町（ちょう）・町歩（ちょうぶ）＝10段＝９９１７・３５５㎡

これらの場合、基礎単位となるのは坪であり、それは曲尺で1間(6尺、1・8182m)四方の面積となっています。

特殊な単位

- 尺坪(しゃくつぼ)＝1尺四方の面積＝0・091827㎡
- 帖(じょう)・畳＝0・5坪(畳1枚の面積)＝1・652892㎡
- 方丈(ほうじょう)＝1丈四方の面積＝9・18273645 3㎡

お坊さんを方丈様と呼ぶ地域があります。これはお坊さんの住む部屋が一丈四方であるということからつけられた名前です。

畳を単位とする表現

家の中の面積では四畳半、6畳等の畳を単位とした面積表現が生きています。ただし現在の畳1枚の面積は不定で、面積の大きいものから小さいものまでいろいろあります。

- 京間(本間)……6尺3寸×3尺1寸5分(191cm×95・5cm)京都、関西方面
- 六一間……6尺1寸×3尺5分(185cm×92・5cm)山陽、山陰地方
- 中京間(三六間)…6尺×3尺(182cm×91cm)中京、北陸地方
- 江戸間(五八間、関東間、田舎間)……5尺8寸×2尺9寸(176cm×88cm)関東地方と全国各地
- 団地間(五六間)…5尺6寸×2尺8寸(170cm×85cm)アパートやマンションなどの集合住宅

畳の周囲は織物(縁)で囲まれていますが、柔道場などの畳には縁が有りません。畳表(畳表)を曲げて畳床を包んでいます。このような畳を「野郎畳」といいます。柔道場の畳や琉球畳も野郎畳の一種です。

単位・記号の由来

日本の面積の基本体は坪ですが、同じ面積を歩とも言います。歩は中国で生まれた

もので、歩の別名として坪という名称ができたといいます。周時代に、歩幅2歩分の長さを「歩」という長さの単位とし、それを一辺とする正方形の面積のことも「歩」と呼んだのが面積の単位「歩」の始まりとされます。このときの1歩（面積）は現在の歩よりも小さな面積でしたが、後に坪と同じように6尺四方の面積と定められました。日本では一般には、耕地・林野の面積には歩が、家屋・敷地の面積には坪が使われました。

現在の用法

一般的に宅地の面積を表す場合には、現在も坪を使うことが多くあります。不動産広告などで、宅地の面積が平米（平方メートル、㎡）で表されていても、その数字が3・3の倍数になっていることが多いのは、その宅地が坪を単位としたものであったことを示すものです。農地では畝、反が現在も単位面積として残っています。田んぼ1枚はほぼ1反であり、畑1区画はほぼ1畝になっています。1畝はメートル法の1アール、1反は約10アール、1町は約1ヘクタールに該当し、メートル法への換算が簡単なのも強みです。

日本の体積の単位

日本の伝統的体積単位は「升（しょう）」を基本単位として10進法で拡張、縮小するので、欧米の単位に比べて非常にスッキリしています。1升は1669年に4寸9分四方、深さ2寸7分の桝の体積と定まっていますから1803・9mLということになります。

単位

- 1勺（しゃく）（せき）＝18・039mL
- 1合（ごう）＝10勺＝180・39mL
- 1升＝10合＝1803・9mL

・1斗（と）＝10升＝18・039L
・1石（こく）＝10斗＝180・39L

単位・記号の由来

日本では昔からコメの量を「石」の単位で計っていました。それが何万石と言う大名の領地の広さにも反映しました。ところが石の元になる升を計る枡（ます）の大きさが地方によってまちまちでした。これを統一したのが太閤秀吉の太閤検地で、この時に定まった枡が京枡（きょうます）です。

その後、枡の統一性は崩れてしまいますが、再度統一したのが江戸幕府であり、それが1669年でした。単位の「升」は枡（升）からきたものと思われます。「勺」は元々、古代中国における、小さなコップの口縁に長い柄のついた酒をくむ用器のことでした。なお、柄が器の横または底部近くについたものを斗と言い、これは水をくむ用器でした。これらの容器の名前が体積の単位になったものです。「石」は古代中国では重さの単位でしたが、現在では体積の単位として使われるようになったといいます。

☑現在の用途

①一升瓶

1升の単位は1升瓶として現在も使われています。合、勺もお酒の場では健在です。居酒屋では1合徳利には1合のお酒が入るでしょうが、料亭では8勺が普通です。神社に置いてある美しい菰を巻いた酒樽は四斗樽と言い、4斗のお酒が入っています。石油を入れる金属の缶は1斗缶と言われ、1斗、18Lの石油が入る物でしたが、今は20L入るようになったようです。

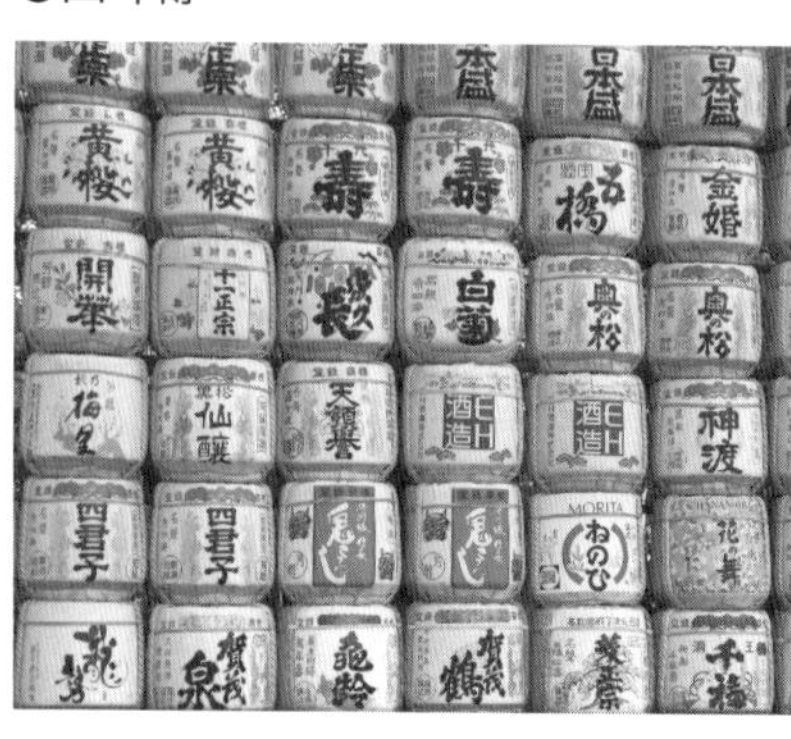

●四斗樽

日本の格言や何気ない言葉には、日本の伝統的単位が使われているものがあります。

②閑話休題

・油を売る

つまらない話をして時間を稼ぐことを「油を売る」と言います。油は振動を与えると体積が減少すると言います。昔の油売りは油の入った容器を担いで売って歩いたので、油の体積は小さくなっています。そこで、客の家に行った時に、どうでもいい話をして時間を稼ぎ、油の体積が復活するのを待った、ということから出ています。

・侍の生き様

侍の人生観を表す言葉に「立って半畳寝て1畳、天下とっても2合半」というのがあります。これは、例え、将軍になって天下を取っても、一人で占める面積はたかだか半畳か1畳に過ぎずで、食べるコメの量も1日2合半でしかない。(出世を考えてコセコセするのではなく、悠々と暮らしてはどうか?)というような意味です。

・二升五合

居酒屋に「二升五合」と書いた額が飾ってあることがあります。あれは「益々繁盛」と読みます。「二升は一升枡が二個でマスマス」、「五合は一升の半分なので半升」で「繁盛に読み替える」という語呂合わせになっています。

日本の重さの単位

日本の伝統的な計量体系は尺貫法と言われ、重さを計る単位は貫(かん)が基準になっています。重さの単位にはその他に斤(きん)、両(りょう)、匁(もんめ)があり、それぞれの関係は次の通りです。

単位

- 1匁……3・75g
- 1両……10匁＝37・5g
- 1斤……16両＝160匁＝600g
- 1貫……6・25斤＝100両＝1000匁＝3・75kg

単位の由来

1貫＝3・75kgの根拠は、1891年に国際メートル原器（1kg）の15／4を1貫とすると定めたことによります。匁は、昔は「文目」と書き、一文銭の重さを単位としたことに由来します。つまり、1文銭1枚の重さを1単位としたのです。しかし、この単位を1文と呼んだのではお金の単位と区別がつかなくなるので、重さの単位を「1文目」としました。明治時代になって「もんめ」に「匁」の字があてられることになりました。同様に貫も貨幣単位と区別するために、重量の場合には貫目（かんめ）と呼び、貨幣単位の方は貫文（かんもん）と呼んで区別していました。匁は尺貫法の廃止に伴って使用禁止になりましたが、真珠取引に限って許されています。しかしその場合も表示は「匁」ではなく「もんめ」あるいは国際法に則って「monnme」あるいは「mon」とすることになっています。

現在の用法

① 斤（きん）

貫、匁はほとんど使われなくなりましたが、斤は食パンに限って現在も使われています。その意味では真珠の匁に似ています。ただし、1斤として売られるパンの質量は時代とともに少なくなり、現在では、1斤＝340g（以上）と定められています。その意味では斤は質量単位というよりは食パンの個数（山）を表す単位と考えた方が良いかもしれません。

② 俵（ひょう）

俵（たわら）は米俵でよく知られたように、稲わらを編んで作った容器です。炭を入れることもありますが、炭は多くの場合、叺（かます）（蓆（むしろ）で作った袋）に入れ、俵には多くの場合は穀物を入れました。元々俵は容器ですから、その大きさは容量によって規定されていました。したがって俵は容量の単位と考えることもでき、その場合には俵を「たわら」ではなく「ひょう」と読みます。それによると1俵（いっぴょう）＝4斗です。しかし現在の俵は重量の単位となっています。ところが、この単位が計る対象によって異なるのです。玄米4斗の重さは、ほぼ60㎏なので、1俵＝60㎏とすればスッキリするのですが、そうではありません。すなわち1俵の重さは、米（玄米）・小麦・大豆は60㎏、大麦は50㎏、ソバは45㎏となっています。また、同じ米でも玄米と白米では違い、白米の場合には米ぬかが除かれる分だけ軽くなり、玄米の1割減、すなわち54㎏が1俵の重さとなるそうです。

SECTION 42

日本の時間の単位

江戸時代の時間と暦は現在とは大きく異なります。

長さとしての時間

まず、時間の長さについて見てみましょう。江戸時代の時間の間隔は現在とは根本的に異なります。現在で言う「1時間の間隔」が季節によって変わるどころか、日によって変わるのです。それは、1日の時間を「昼」と「夜」に二大別し、それぞれを6等分して「刻」にしたことによります。すなわち、1日を間隔の等しくない12刻に分けたのです。そして、昼は「日の出から日没」まで、夜は「日没から翌日の日の出」までですから、昼と夜の長さは日によって違います。当然、それを6等分した「1刻」の長さは昼と夜で違い、その上、日によって違います。しかし、春分と秋分の日は昼と夜の時間が同じになるので、1刻は現在の2時間ということになります。このような時間の定め方を不定時制といいます。それに対して現代の定め方は定時制ということになります。

時刻の呼び名

各時刻の呼び方は江戸時代特有の名前があるので、図に示しました。

① 基本時刻名

基本的には真夜中を九つとし、それから八つ、七つと小さくなって最小が四つで、現在の午前10時頃です。そして正午にはまた九つに戻ります。それから八つ、七つと減少して真夜中にまた九つに戻るのです。頭が良くないとついていけそうに

●十二支時刻名

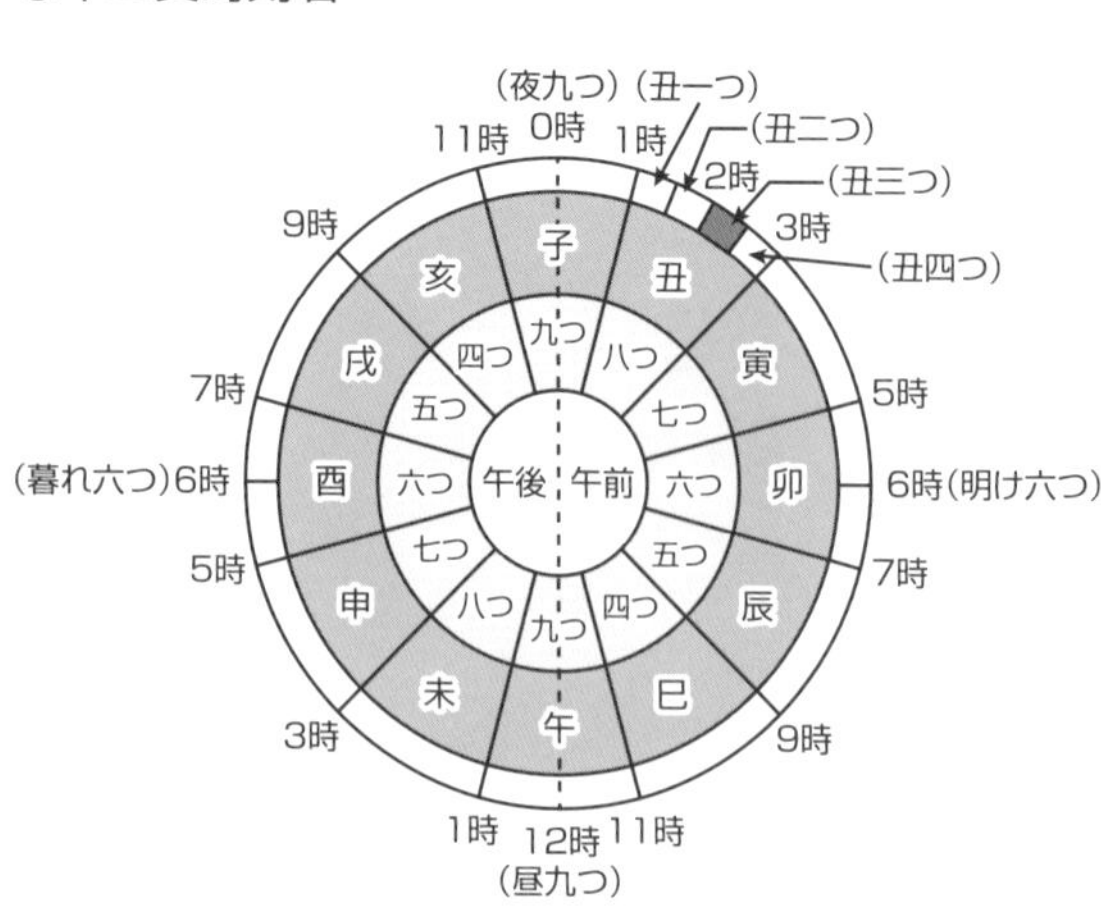

ない時刻名です。午後の間食を八つ時に食べたことから「おやつ」という名前が出たというのは良く聞く通りです。

② 十二支時刻名

江戸時代には、1日の時刻を、2時間刻みに子(ね)・丑・寅・卯・辰・巳・午・未・申・酉・戌・亥の十二支で表していました。子の刻は、現在の時間に直すと、午前0時を中心とする2時間、すなわち前日の午後11時から当日の午前1時までを指し、丑(うし)の刻は午前1時から午前3時まで、となります。

更に、一つの刻を、約30分刻みで四等分して、たとえば、丑一つ(丑1刻)は、午前1時から午前1時30分までの間(もしくは、午前1時)、丑二つ(丑2刻)は、午前1時30分から午前2時までの間…、と細かく時刻を表していました。つまり、丑三(うしみ)つは、現代の時刻にすると、午前2時から午前2時30分までの間(もしくは、午前2時)で、正に真夜中になります。時代劇に出てくる「草木も眠る丑三つ時」というセリフはこの時間を指すのです。

昔の日本ではかなり特殊な暦を使っていました。

☑暦

①太陽太陰暦

それは、欧米が太陽の運行を基にした太陽暦を使ったのに対して、日本では太陽と、月の運行を基にした太陰暦を混ぜ合わせた太陽太陰暦を使った点にあります。

1年の長さは太陽の公転周期に併せて365日としました。問題は月です。これは月の公転周期を基にして定めたのです。すなわち、新月から次の新月までを1カ月とするのです。このような月を「朔望月（さくぼうづき）」といいます。朔望月の長さは29・5日です。

②閏月

29・5日を12倍しても354日にしかなりません。1年に11日足りません。3年経つと33日となり、ほぼ1月となります。これでは田植えの時期がだんだんずれてきます。農業国である日本では看過できません。そこで3年毎に13月という「閏月（うるうづき）」を入れて修正することになります。明治初期までこのような暦でしたが、困ったのは明治政府でした。諸国に倣って月給制を敷いた政府は、閏月のある年には月給を13回出さなければなりません。これは大変ということで、急遽太陽暦を採用したということです。

☑和時計

日本の複雑な時間システムに合致するように、日本で開発され、日本で発展した時計を和時計と言います。

①二丁天符式和時計（にちょうてんぷしき）

まず、1刻の長さが昼と夜で変わるという事態に対処しなければなりません。このためには時計の進みを調節するテンプ(天符)を掛け換えることで対応しました。すなわち、昼と夜、つまり1日2回、テンプを手動で掛け換えるの

●和時計

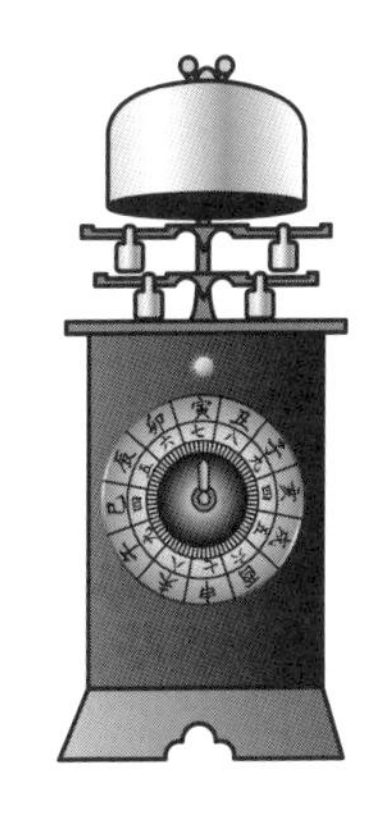

です。

次には、毎日変わる1日の長さへの対応です。さすがに毎日変化させるのは大変なので、15日ごとに変化させることで凌ぎましたが、これもテンプの交換で対応しました。そこで、このように2個(丁)のテンプで対応する時計を二丁天符式と言います。のちには、これらテンプの交換を自動的に行う時計もできたと言いますから、相当高度な機械システムを持っていたことでしょう。

② 簡易和時計

しかし、別な観点からこの問題を解決した時計もありました。発想の転換です。簡単な話しです。文字盤を細工するのです。すなわち、時計の針は夜昼関係なく一定の速度で進行させ、文字盤の方で、昼と夜の長さ(面積)を変えておくのです。さらに、15日ごとに別の文字盤に交換します。交換するのを忘れると困ったことになります。

当時、時計の在る家など珍しいのですから、間違いを教えてくれる人などいるはずはありません。頼りになるのはお寺の鐘だけということとなります。当時はそれだけでもお寺の存在価値があったのかもしれません。

Chapter. 8
欧米の伝統的単位

SECTION 43

欧米の長さの単位

欧米の測量単位としてヤード・ポンド法があります。これは長さの単位としてヤードを用い、重さの単位としてポンドを用いると言うものです。しかし、国際基準として規定されているのはヤードではなく、その下の単位であるフィートです。

欧米の単位は各国の事情、測定する物品、測定する土地の状態、その時の王様の気分?などによって変わるほか、2進法、3進法、4進法、8進法、10進法、12進法、16進法、７００進法?などが絡み合い、複雑怪奇となっています。その複雑難解さは日本の単位の比ではありません。

商取引の現場にいる人以外には覚える必要など全くありませんので、興味の赴くままに、頭の体操と思って御覧ください。

☑フィート(ft)

フィートには多くの国で認められた国際フィートと米国でのみ用いられる測量フィートがあります。

- 1(国際)フィート=0.3048m
- 1測量フィート =0.3048006096m

この単位は単数の場合にはfoot(フート)、複数の場合にfeet(フィート)となります。ただし日本では単複を問わず全てフィートで表示します。フィートは(ft)あるいはプライム(′)、またはアポストロフィー(’)の記号で表示し、下部単位のインチ(in)はダブルプライム(″)で表すことがあります。したがって「1′、1″」は「フィート1インチ」ということになります。

☑派生する単位

フィートより長い距離を計るにはヤード、マイル、短い場合にはインチなどを用います。

- 1国際マイル＝1760ヤード＝1609・344m
- 1ロッド＝5・5ヤード
- 1国際ヤード（yd）＝3フィート＝91・44㎝
- 1国際インチ（in）＝（1／12）フィート＝2・544㎝

この単位は陸上の単位であり、海上、空中の単位として海里（ナウティカルマイル）があります。

- 1マイル（海里）＝1852m
- 1ケーブル＝1／10マイル

これはマイルとはいうものの、陸上マイルとは全く無関係であり、地球の緯度1分に相当する長さで定義されています。1海里の1／10は1ケーブルであり、海上関係では一般的に使われています。

単位・記号の由来

フィートは足の長さに基づきます。しかし足の長さに個人差があるのは当然であり、その場合に標準に用いられるのは権力の象徴である国王の足でした。ということで、当然ながら「1フィート」の長さは各国によって異なっていたのですが、1959年に関係各国が協定を結んで実現したのが先の国際フィートです。

ヤードの語源は「真っ直ぐな枝」という意味ですから、物指のようなものを意識したのでしょう。

ヨーロッパでは昔は「エル」という単位が用いられていました。これはエルボウ(肘)から派生した言葉であり、肩から手首までの長さを示していました。また「キュービット」という単位もありましたが、これは肘から指先までの長さであり、エルのほぼ半分の長さでした。つまり、「ダブルキュービット」がエルに相当していたのですが、このエルがヤードの元になったものと考えられています。

SECTION 44

欧米の面積の単位

日本と同じように欧米でも伝統的な面積単位があり、それは今も使い続けられています。それには次のような単位があります。欧米の長さ単位のインチやフィートは各国固有の長さがありますから、本書では国際インチ等の国際単位で計算します。

- 1平方インチ　＝1インチ四方の面積
- 1平方フィート＝1フィート四方の面積＝12インチ四方の面積＝144平方インチ
- 1平方ヤード　＝1ヤード四方の面積＝3フィート四方の面積＝9平方フィート
- 1平方マイル　＝1マイル四方の面積＝1760ヤード四方の面積＝309万7600平方ヤード

以上の単位は正方形の面積が単位となっているのでわかりやすいのですが、欧米で良く使われる面積単位にエーカーがあります。その定義は次のようになっています。

・1エーカー＝約208・7フィート四方の面積＝4840平方ヤード＝1／640平方マイル＝4千46・856422 4㎡
・1ロッド　＝4840平方ヤード

エーカーは元々は長方形の面積で定義されたものです。

単位・記号の由来

エーカーの面積がこのようにわかり難いのは歴史に原因があります。元々のエーカー(acre)という単位は、「雄牛2頭引きの犂(すき)を使って1人が1日に耕すことのできる面積」として定義されました。エーカーと言う単位名はギリシア語で牛の首に欠ける軛(くびき)を意味する言葉に由来します。

つまり、エーカーは面積の単位ではなく、労働力の単位だったのです。したがって、1エーカーの面積は、その土地の傾斜や土の固さなどによって変わることになります。しかし、同じエーカーの土地であれば、そこを耕すための作業時間は同じということになります。ある意味、合理的な単位だったのです。

ところが1277年、イギリスのエドワード1世が、「4ロッド×40ロッドの土地の面積」を1エーカーと定めたのです。この定義は「法定エーカー」と呼ばれます。1ロッドは5・5ヤードですから、1エーカーは4840平方ヤードとなります。

現在の用法

このような面積単位は欧米では正式に用いられていますが、日本では認められていません。そのため、平方ヤード、平方インチ、平方フィート、平方マイルは特別な場合には用いることができますが、エーカーは取引または証明にはいかなる場合でも使用することができません。

欧米の体積の単位

欧米の伝統的体積単位の基本単位はガロン(gal)です。ヤード・ポンド法に準ずる体積なのですが、ガロンはヤードなど、伝統的な長さの単位とは無関係に決まりました。いくつかの体積単位とそれぞれの間の関係を示します。

単位

・1ガロン(gal)

体積の基本単位なのですが、国や用途によって各種のガロンの定義があり、3・7リットルから4・6リットルまで範囲があります。日本国内で使用できるのは、米国液量ガロン(正確に3・785412リットル)のみです。その昔、アメリカのカウボーイがかぶっていたのはテンガロンハットでした。10ガロンの水が入る帽子と言う意味ですが10ガロンといえば40リットル近い大きさです。そんな大きな帽子では頭が何個も入ってしまいます。単に「大きな帽子」というような意味でしょう。

・1クォート(quart)＝1ガロンの1／4
・1パイント(pint)　＝1ガロンの1／8＝1／2クオート
・1バレル(石油用)　＝42ガロン

1バレルを石油用と断ったのは、他に何々用というバレルの単位がたくさんあるからです。

このほかに液量オンスという単位があり、これがまた英米2種類があり、さらに栄養オンスが加わるというように、複雑です。

・1英液量オンス＝英ガロンの1／160＝約28・413mL
・1米液量オンス＝米ガロンの1／128＝約29・574mL
・1栄養オンス　＝30mL

単位・記号の由来

ガロンは元々は樽の意味で、ガロンが単位名として最初に登場したのはイングランド王による「麦1OOトロイオンスを1ガロンとする」というお触れによります。その後いろいろのガロンが誕生しました。

- 1ワインガロン＝231立方インチ＝3・785L
- 1ビールガロン＝282立方インチ＝4・62L
- 1穀物バレル　＝272・25立方インチ＝4・46L

イギリスで通用したのはビールガロンで1ガロン＝4・546Lになっています。ところがアメリカで定着したのはワインガロンで、この両者は現在も共存して使われています。

- 1ガロン（英gal）＝4・546L
- 1ガロン（米gal）＝3・785L（日本で採用）

バレルも樽の意味です。品物によってふさわしい大きさの樽に入れていたものが、単位として定着してしまいました。アメリカを例にとって挙げると次のとおりです。

- 1バレル（アルコール）＝50米ガロン
- 1バレル（一般の液体）＝31・5米ガロン

欧米の重さの単位

欧米ではメートル法以外の昔ながらの伝統的な単位が使われています。しかもそれは日常生活だけではありません。工業や経済活動にも使われているのです。主な単位を見てみましょう。

☑単位

・パウンド(lb)＝0・45359237kg

パウンドには常用パウンド、薬用パウンド、トロイパウンド、メートルパウンドなどがあります、それは下部単位であるオンスとの関係が異なるだけで、1パウンドの重さは全て同じです。この重さは昔、「大人が一日に食べる大麦の重さ」からきていると言います。

・オンス

オンスには3種類あります。常用オンス(oz av)とトロイオンス(oz tr、toz)＝薬用オンス(oz ap)です。これらの違いはパウンドとの関係だけです。

・1常用オンス＝1／16パウンド＝28・349523g

・1トロイオンス＝1薬用オンス＝1／12パウンド＝31・1034768g

貴金属の取引にはトロイオンスが使われます。

・1常用ドラム＝1／8常用オンス＝3・543369g

イギリスで1976年に廃止されています

・グレーン(gr)＝1／7000パウンド＝0・06479891g＝64・79891㎎)

これは大麦一粒の重さを基準にしていると言われます。

・クォーター

欧米では基本単位の1／4をクォーター(四分の一)と呼んで日常的に用います。通貨でも1クォーター＝1／4ドルがあります。重さの1クォーターは1パウンドの1／4です。

・ショートトン（ネットトン、米トン、ｔｏｎ）

主に米国で使われる単位で１ショートトン＝２０００ポンド＝９０７．１８４７４kgです。

・ロングトン（インペリアルトン、英トン、ｔｏｎ）

主に英国で使われる単位で１ロングトン＝２２４０ポンド＝１０１６．０４６９０８８kgです。

・メートルトン（tonne）

英米など、ショートトン、ロングトンを使う国がメートル法のトンを指す場合に使う単位名です。したがって１トン＝１０００kgです。

このように欧米では３種類のトンが混在することがあるので、混乱を避けるためにショートトン、ロングトン、メートルトンを明記することが推奨されていると言います。

現在の用法

日本においてパウンドという単位を聞くのはボクサーの体重くらいかもしれません。最近ではハンバーガーにもクォーターの単位が使われているようですが、欧米では体重だけではなく、日常的に使う重量単位は、スーパーの肉の重量に至るまで、ほとんど全てがパウンドで表示されています。パウンドケーキは、小麦粉、バター、砂糖、卵を各1パウンドずつ混ぜて作ることから付けられた名前です。

アメリカ、イギリス、オーストラリアなどで発行される地金金貨は1オンス、1/2オンス、1/4オンス、1/10オンスなどの単位になっています。この場合のオンスはトロイオンスです。地金金貨を扱う人が、「何オンスか?」と聞くことはありません。誰もが、自分が扱っている品物に適用される単位体系を感覚的に身に着けているのでしょう。だから、こんな複雑な単位体系を使いこなせるのでしょう。というより、金貨を扱う時にはトロイオンスしか用がなく、他のオンスとの互換など考える必要が無いのです。

●金貨

さ行

た行

英数字

あ行

か行

■著者紹介

さいとう　かつひろ
齋藤　勝裕

名古屋工業大学名誉教授、愛知学院大学客員教授。大学に入学以来50年、化学一筋できた超まじめ人間。専門は有機化学から物理化学にわたり、研究テーマは「有機不安定中間体」、「環状付加反応」、「有機光化学」、「有機金属化合物」、「有機電気化学」、「超分子化学」、「有機超伝導体」、「有機半導体」、「有機EL」、「有機色素増感太陽電池」と、気は多い。執筆暦はここ十数年と日は浅いが、出版点数は150冊以上と月刊誌状態である。量子化学から生命化学まで、化学の全領域にわたる。著書に、「SUPERサイエンス 「水」という物質の不思議な科学」「SUPERサイエンス 大失敗から生まれたすごい科学」「SUPERサイエンス 知られざる温泉の秘密」「SUPERサイエンス 量子化学の世界」「SUPERサイエンス 日本刀の驚くべき技術」「SUPERサイエンス ニセ科学の栄光と挫折」「SUPERサイエンス セラミックス驚異の世界」「SUPERサイエンス 鮮度を保つ漁業の科学」「SUPERサイエンス 人類を脅かす新型コロナウイルス」「SUPERサイエンス 身近に潜む食卓の危険物」「SUPERサイエンス 人類を救う農業の科学」「SUPERサイエンス 貴金属の知られざる科学」「SUPERサイエンス 知られざる金属の不思議」「SUPERサイエンス レアメタル・レアアースの驚くべき能力」「SUPERサイエンス 世界を変える電池の科学」「SUPERサイエンス 意外と知らないお酒の科学」「SUPERサイエンス プラスチック知られざる世界」「SUPERサイエンス 人類が手に入れた地球のエネルギー」「SUPERサイエンス 分子集合体の科学」「SUPERサイエンス 分子マシン驚異の世界」「SUPERサイエンス 火災と消防の科学」「SUPERサイエンス 戦争と平和のテクノロジー」「SUPERサイエンス 「毒」と「薬」の不思議な関係」「SUPERサイエンス 身近に潜む危ない化学反応」「SUPERサイエンス 爆発の仕組みを化学する」「SUPERサイエンス 脳を惑わす薬物とくすり」「サイエンスミステリー 亜澄錬太郎の事件簿1　創られたデータ」「サイエンスミステリー 亜澄錬太郎の事件簿2　殺意の卒業旅行」「サイエンスミステリー 亜澄錬太郎の事件簿3　忘れ得ぬ想い」「サイエンスミステリー 亜澄錬太郎の事件簿4　美貌の行方」「サイエンスミステリー 亜澄錬太郎の事件簿5［新潟編］　撤退の代償」「サイエンスミステリー 亜澄錬太郎の事件簿6［東海編］　捏造の連鎖」「サイエンスミステリー 亜澄錬太郎の事件簿7［東北編］ 呪縛の俳句」「サイエンスミステリー 亜澄錬太郎の事件簿8［九州編］ 偽りの才媛」（C&R研究所）がある。

編集担当：西方洋一 ／ カバーデザイン：秋田勘助（オフィス・エドモント）
写真：©Oleksandr Moroz - stock.foto

SUPERサイエンス
人類が生み出した「単位」という不思議な世界

2023年5月1日　　初版発行

著　者　齋藤勝裕
発行者　池田武人
発行所　株式会社　シーアンドアール研究所
　　　　新潟県新潟市北区西名目所4083-6（〒950-3122）
　　　　電話　025-259-4293　FAX　025-258-2801
印刷所　株式会社　ルナテック

ISBN978-4-86354-415-4　C0043